Illustration : Francine Auger.

René Lévesque, 1922-1987

Archives nationales du Québec à Montréal P18, S1, D159.

Marguerite Paulin

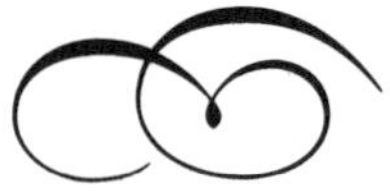

Docteure ès arts, Marguerite Paulin anime et réalise à Radio Centre-Ville *Le quai des partances*, émission au cours de laquelle elle reçoit des écrivains. Chargée de cours pendant dix ans à l'Université McGill, elle a aussi enseigné au collégial. Auteure des biographies de Félix Leclerc, de Louis-Joseph Papineau et de Maurice Duplessis dans la collection « Les grandes figures », elle a publié des essais, des fictions et, sous un pseudonyme, une préface au *Manuel de civilité* de Pierre Louÿs.

La publication de cet ouvrage a été rendue possible grâce à l'aide financière du ministère du Patrimoine canadien par l'entremise du Programme d'aide au développement de l'industrie de l'édition (PADIÉ), du Conseil des Arts du Canada (CAC), du ministère de la Culture et des Communications du Québec (MCCQ) et de la Société de développement des entreprises culturelles (SODEC).

XYZ éditeur
1781, rue Saint-Hubert
Montréal (Québec)
H2L 3Z1
Téléphone : 514.525.21.70
Télécopieur : 514.525.75.37
Courriel : info@xyzedit.qc.ca
Site Internet : www.xyzedit.qc.ca

et

Marguerite Paulin

Dépôt légal : 4e trimestre 2003
Bibliothèque nationale du Canada
Bibliothèque nationale du Québec
ISBN 2-89261-377-9

Distribution en librairie :
Au Canada :
Dimedia inc.
539, boulevard Lebeau
Ville Saint-Laurent (Québec)
H4N 1S2
Téléphone : 514.336.39.41
Télécopieur : 514.331.39.16
Courriel : general@dimedia.qc.ca

En Europe :
D.E.Q.
30, rue Gay-Lussac
75005 Paris, France
Téléphone : 1.43.54.49.02
Télécopieur : 1.43.54.39.15
Courriel : liquebec@noos.fr

Conception typographique et montage : Édiscript enr.
Maquette de la couverture : Zirval Design
Illustration de la couverture : Francine Auger
Recherche iconographique : Anne-Marie Sicotte

René Lévesque

Dans la même collection

1. Louis-Martin Tard, *Chomedey de Maisonneuve. Le pionnier de Montréal.*
2. Bernard Assiniwi, *L'Odawa Pontiac. L'amour et la guerre.*
3. Naïm Kattan, *A. M. Klein. La réconciliation des races et des religions.*
4. Daniel Gagnon, *Marc-Aurèle Fortin. À l'ombre des grands ormes.*
5. Mathieu-Robert Sauvé, *Joseph Casavant. Le facteur d'orgues romantique.*
6. Louis-Martin Tard, *Pierre Le Moyne d'Iberville. Le conquérant des mers.*
7. Louise Simard, *Laure Conan. La romancière aux rubans.*
8. Daniel Poliquin, *Samuel Hearne. Le marcheur de l'Arctique.*
9. Raymond Plante, *Jacques Plante. Derrière le masque.*
10. André Berthiaume, *Jacques Cartier. L'inaccessible royaume.*
11. Pierre Couture, *Marie-Victorin. Le botaniste patriote.*
12. Louis-Martin Tard, *Michel Sarrazin. Le premier scientifique du Canada.*
13. Fabienne Julien, *Agathe de Repentigny. Une manufacturière au XVIIe siècle.*
14. Mathieu-Robert Sauvé, *Léo-Ernest Ouimet. L'homme aux grandes vues.*
15. Annick Hivert-Carthew, *Antoine de Lamothe Cadillac. Le fondateur de Detroit.*
16. André Vanasse, *Émile Nelligan. Le spasme de vivre.*
17. Louis-Martin Tard, *Marc Lescarbot. Le chantre de l'Acadie.*
18. Yolaine Laporte, *Marie de l'Incarnation. Mystique et femme d'action.*
19. Daniel Gagnon, *Ozias Leduc. L'ange de Correlieu.*
20. Michelle Labrèche-Larouche, *Emma Albani. La diva, la vedette mondiale.*
21. Louis-Martin Tard, *Marguerite d'Youville. Au service des exclus.*
22. Marguerite Paulin, *Félix Leclerc. Filou, le troubadour.*
23. André Brochu, *Saint-Denys Garneau. Le poète en sursis.*
24. Louis-Martin Tard, *Camillien Houde. Le Cyrano de Montréal.*
25. Mathieu-Robert Sauvé, *Louis Hémon. Le fou du lac.*
26. Marguerite Paulin, *Louis-Joseph Papineau. Le grand tribun, le pacifiste.*
27. Pierre Couture et Camille Laverdière, *Jacques Rousseau. La science des livres et des voyages.*
28. Anne-Marie Sicotte, *Gratien Gélinas. Du naïf Fridolin à l'ombrageux Tit-Coq.*
29. Christine Dufour, *Mary Travers Bolduc. La turluteuse du peuple.*
30. John Wilson, *Norman Bethune. Homme de caractère et de conviction.*
31. Serge Gauthier, *Marius Barbeau. Le grand sourcier.*
32. Anne-Marie Sicotte, *Justine Lacoste-Beaubien. Au secours des enfants malades.*
33. Marguerite Paulin, *Maurice Duplessis. Le Noblet, le petit roi.*
34. Véronique Larin, *Louis Jolliet. Le séminariste devenu explorateur.*
35. Julie Royer, *Roger Lemelin. Des bonds vers les étoiles.*
36. Francine Legaré, *Samuel de Champlain. Père de la Nouvelle-France.*
37. Pierre Couture, *Antoine Labelle. L'apôtre de la colonisation.*
38. Camille Laverdière, *Albert Peter Low. Le découvreur du Nouveau-Québec.*

LÉVESQUE

René

UNE VIE, UNE NATION

De la même auteure

Félix Leclerc. Filou, le troubadour, Montréal, XYZ éditeur, coll. « Les grandes figures », 1998.

Louis-Joseph Papineau. Le grand tribun, le pacifiste, Montréal, XYZ éditeur, coll. « Les grandes figures », 2000.

Maurice Duplessis. Le Noblet, le petit roi, Montréal, XYZ éditeur, coll. « Les grandes figures », 2002.

À maman,
à Alexis, mon neveu,
à Iain Davidson.

Remerciements
à André Vanasse,
à Michèle Vanasse,
à Xavier Gélinas.

Depuis que je travaille à ses côtés, René Lévesque me paraît comprendre et ressentir dans sa chair ces contradictions de l'homme québécois qui tout à la fois lui imposent de se libérer et l'empêchent d'y parvenir. C'est pourquoi il oscille lui-même entre la nuit et la lumière, l'impatience et la confiance, la tendresse et la sévérité, la mercuriale et l'appel au dépassement, lorsqu'il se parle à lui-même ou aux autres.

CAMILLE LAURIN

Liminaire

Une autre biographie de René Lévesque ? Cela va de soi ! La collection « Les grandes figures » ne pouvait passer à côté d'un homme aussi exceptionnel.

Il existe des dizaines de livres sur les chefs d'État, sur De Gaulle, sur Kennedy. Pourquoi n'y aurait-il pas divers points de vue littéraires sur René Lévesque ? Plus d'un cinéaste peut filmer un même personnage, plus d'un peintre peut faire le portrait d'un même visage. Chacun à sa façon et avec son style.

Ce récit biographique est notre regard sur un destin unique. Le résumé d'une vie en une centaine de pages. Nous n'avons rien inventé. Nous avons simplement suivi ce conseil de La Bruyère : « Tout écrivain, pour écrire nettement, doit se mettre à la place de ses lecteurs. »

Archives nationales du Québec à Montréal, E6, S7, SS1, P810015, #31A.

René Lévesque lors d'une conférence de presse
sur un chantier de construction, à Longueuil, en 1981.

1

Je ne veux pas détruire le Canada

— Mes chers amis… si je vous ai bien compris… René Lévesque tente d'imposer le silence aux sympathisants réunis au centre Paul-Sauvé. Derrière lui, deux femmes se tiennent en retrait : Corinne Côté, son épouse, et Lise Payette, ministre de la Condition féminine et seul membre du cabinet présent pour cette occasion. Habillées de noir, comme si elles portaient symboliquement le deuil.

Des gradins jusqu'au parquet, les pancartes du « oui » se mêlent aux fleurdelisés. Au loin, quelques voix entament *Mon cher René, c'est à ton tour…*, puis, spontanément, les milliers de militants reprennent la chanson de Gilles Vigneault pour saluer le courage de leur chef. Lévesque sourit d'un air triste.

À presque vingt heures, ce 20 mai 1980, les résultats du référendum sont officiels : 59,6 % des Québécois ont dit « non ». Quelque deux millions de Québécois refusent de donner au gouvernement le mandat de négocier une nouvelle entente politique avec le gouvernement fédéral.

La défaite est amère : la souveraineté-association vient d'être rejetée par plus de la moitié de la population. Le chef du Parti québécois mesure la portée de son pouvoir : devant lui, des hommes et des femmes survoltés n'attendent qu'un mot pour envahir les rues de Montréal. Un signal, et ils forceraient les portes de l'aréna pour manifester leur déception et leur chagrin.

René Lévesque a réécrit plusieurs fois son discours. Démocrate, le chef souverainiste accepte la décision des électeurs. À présent, il faut vivre ensemble, malgré la division de l'électorat. Faire la paix avec les adversaires, avec ceux qui croient au fédéralisme. Le chef du Parti québécois redemande le silence. Sa voix domine les cris de la foule :

— Mes chers amis… si je vous ai bien compris, vous venez de dire : « À la prochaine fois… »

D'un seul cri, les partisans hurlent : ce qu'ils veulent, c'est reprendre au plus vite la lutte. Une bataille vient d'être perdue, mais pas la guerre.

Lévesque, spontanément, invite alors les gens présents dans la salle à reprendre tous ensemble « la plus belle chanson québécoise ». Et, faussant un peu, il entonne *Gens du pays*. L'heure n'est plus à la tristesse, la solidarité a pris le pas sur la rancune et l'aigreur.

Chef du gouvernement péquiste depuis le 15 novembre 1976, René Lévesque est d'abord le premier ministre de tous les Québécois. Après quatre années au pouvoir, il pense aux prochaines élections provinciales qu'il doit déclencher bientôt.

René Lévesque veut rassembler les forces qui s'opposent : il a les qualités pour cette tâche.

La campagne référendaire a débuté bien avant son déclenchement officiel en mars 1980.

Trois ans plus tôt, peu après la prise du pouvoir, René Lévesque assume une fonction inédite : gouverner au sein de la confédération canadienne tout en favorisant l'option souverainiste du Parti québécois.

— Tout aurait été plus simple si un vote pour nous avait signifié un vote pour l'indépendance, peut-il regretter.

C'est Claude Morin qui propose en 1972 l'étapisme : remporter une élection et faire ensuite un référendum sur la souveraineté du Québec. « Après tout, fait-il valoir, l'époque est à la négociation et au consensus. La communauté internationale ne reconnaîtrait jamais notre statut politique si nous gagnions à l'arraché. »

René Lévesque croit lui aussi qu'il faut consulter la population avant de changer la constitution du pays. Au congrès de novembre 1974, le référendum passe à deux contre un. Désormais, on vise la majorité à l'Assemblée nationale. Mais les militants sont déchirés. Pour faire passer la résolution, Lévesque doit jouer de son influence, ce qui déplaît aux mécontents dont certains vont jusqu'à déchirer leur carte de membre.

— C'est la première crise qui aurait pu nous siphonner complètement, confesse Lévesque.

ꝏ

Après l'élection du Parti québécois le 15 novembre 1976, René Lévesque revient à l'essence même du Mouvement souveraineté-association qu'il avait fondé neuf ans plus tôt. « Aujourd'hui, dit-il, je tiens plus que jamais à ce trait d'union ! » Il ne s'agit pas d'une figure de style, mais d'un point d'honneur qu'il se fixe. Un Québec souverain devra établir un partenariat économique avec le Canada. Fort de ce *credo*, il freine l'aile radicale du Parti québécois qui souhaiterait déclarer l'indépendance tout de suite. Lévesque se méfie des idéalistes qui n'acceptent pas les règles du jeu de la démocratie.

— Des picosseux, dit-il, des chiqueux de guenille ! Cette gau-gauche, c'est le ver dans la pomme.

Dès le début de 1977, le chef du PQ doit maîtriser des ondes de choc. Lévesque mène alors une locomotive lourde dont la moindre fausse manœuvre risque de faire dérailler les wagons.

Toute discussion entre péquistes débouche immanquablement sur l'option du parti. Doit-on faire le référendum dès la première année du mandat ? Non. La réponse du chef est sans équivoque. Lévesque a d'autres projets qui lui tiennent à cœur, dont celui de faire adopter une loi sur le financement des partis politiques.

— Finies les caisses occultes. Ça va faire, l'argent pour les petits amis du parti ! Je veux que la première loi votée par mon gouvernement soit celle qui donne confiance aux électeurs.

Certains l'avisent qu'il joue gros en mettant de côté le référendum. Lévesque ne bronche pas :

— Comme le dit Claude Morin, on ne peut pas forcer les fleurs à pousser ! Chaque chose en son temps.

— Si on perd, il faut s'attendre à des reproches.

— Et si on gagne, ajoute-t-il, confiant, on dira qu'on avait du flair.

Tâche difficile que de choisir des ministres parmi les soixante et onze députés péquistes élus le 15 novembre. Lévesque fera des jaloux et prévient les plus pressés : ses nominations ne sont pas coulées dans le béton. Dans les Cantons-de-l'Est où il s'évade pour quelques jours, il dit qu'il va faire sa « tapisserie de Pénélope », allusion aux difficultés qu'il doit résoudre.

D'abord, une liste des noms les plus sûrs : Jacques Parizeau, aux Finances. Jacques-Yvan Morin, à la Culture ? Il déchire son papier. Il recommence. Puis, il se souvient des conseils de Robert Bourassa. S'amusant à désigner les futurs ministres péquistes, « monsieur Lévesque, avait noté le chef libéral, vous feriez mieux d'avoir untel au sein de votre cabinet plutôt qu'à l'extérieur ». Il avait raison. Le chef du PQ poursuit son travail ; infatigable, il revient à la case de départ. Il défait sa toile pour mieux la reprendre… comme Pénélope.

꩜

En politique depuis seize ans, René Lévesque a connu des hauts et des bas. En septembre, par exemple, il a songé sérieusement à tout abandonner. Mais l'entrevue de Claude Charron au *Devoir* l'a fouetté. Se faire traiter de «petit vieux» et de «bois mort» quand on vient d'avoir cinquante-quatre ans, c'est dur à avaler! Doit-il démissionner pour laisser la place à du sang neuf? Non! Pas question de retraiter. Le Parti québécois doit demeurer fidèle aux engagements qu'il a pris lors du dernier congrès. Pas question d'un virage trop à gauche. Le «petit vieux» a du ressort. Aux mécontents il ordonne: partez, allez fonder votre propre parti! Tout aurait pu basculer à ce moment-là. Mais la chance est venue quand Robert Bourassa, misant sur l'effervescence des Jeux olympiques, a déclenché prématurément des élections pour le 15 novembre.

꩜

Sa liste complétée, Lévesque convoque chaque nouveau ministre. Jacques Parizeau est comblé: il détient la «triple couronne» de ministre des Finances, président du Conseil du trésor et ministre du Revenu. Il occupe ainsi le poste le plus important au sein du premier cabinet péquiste. Nommé ministre de l'Agriculture, Jean Garon pense d'abord à refuser. On lui fait comprendre qu'il finirait par le regretter. Car Lévesque n'oublie jamais les affronts et il n'aime surtout pas qu'on lui résiste. À Claude Charron, qui avait contesté ouvertement son leadership à l'auberge Handfield, le chef péquiste offrira bientôt le ministère de la Jeunesse et des Sports... avec en prime le problème du déficit olympique ! Une patate chaude entre les mains de l'audacieux jeune turc qui avait tenu tête au chef. À Lise Payette, qui espérait la Culture, Lévesque donne le ministère des Consommateurs, Coopératives et Institutions financières. Pas très original, se dit la seule femme nommée au caucus. Une libérale avait occupé ce poste juste avant elle !

— Je n'ai pas recruté parmi le monde de la finance, souligne fièrement René Lévesque, accentuant ainsi la rupture avec l'ancien gouvernement libéral de l'économiste Robert Bourassa

L'édifice du complexe J de la Grande-Allée à Québec porte bien son surnom : le *bunker*. L'ascenseur monte jusqu'à la salle de réunion du Conseil des ministres. Sans fenêtres, les murs recouverts de tapis, cette chambre forte à l'éclairage feutré fait penser à une soucoupe volante au beau milieu de laquelle une impressionnante table en forme de fer à cheval occupe toute la place. « On dirait la centrale du docteur Folamour », fait remarquer Lise Payette. « Nous sommes isolés comme dans une capsule interplanétaire », ajoute Lévesque. Avant l'inauguration du premier Parlement péquiste, fixée au 14 décembre, les réunions ont des airs de rencontres familiales. On apprend à se connaître, on se toise. Celui-ci, très familier, enlève ses chaussures sous la table ; celui-là est l'éternel insatisfait, il contredit tout le monde. Chacun est sur ses gardes : il ne faut pas laisser les collègues ronger la moindre parcelle de son terrain. C'est un monde marqué par le machisme. Et par un rituel empesé. De chaque côté du premier ministre, par ordre alphabétique, en alternance, les ministres s'assoient sagement dans le fauteuil désigné par une carte. L'école du parlementarisme britannique est stricte et disciplinée. Ce premier cabinet fait ses classes. Les élèves sont dociles. Les plus insoumis sauront se faire entendre plus tard. René Lévesque tempère les exaltés : l'électorat a voté contre les libéraux et non pour le PQ. Les querelles linguistiques, le déficit olympique, l'usure du pouvoir ont eu raison du gouvernement Bourassa. « Nous essaierons d'apprendre des erreurs de nos prédécesseurs. » René Lévesque tient à un projet parmi plusieurs et ne cesse d'y revenir : « Nous allons donner aux Québécois un code de déontologie en ce qui a trait aux mœurs électorales. » Finis le favoritisme et le patronage insidieux. Tout cadeau au-dessus de vingt-cinq dollars doit être remis. Pas question d'avoir des intérêts dans des compagnies qui font affaire avec l'État. Ceux qui possèdent des actions à la Bourse ont soixante jours pour s'en départir. Fixant chacun dans les yeux, Lévesque tranche :

— Et si jamais j'en prends un en train de se graisser la patte, je le dénonce tout de suite !

∞

« Pas question d'annuler. Oui, j'y serai. » Comme prévu, Lévesque se rend à la conférence fédérale-provinciale convoquée avant les élections. « Au fond, dit-il à ses proches, je veux qu'on sache que je ne veux pas détruire le Canada. Je me rends de bonne foi à Ottawa, même si je pense que c'est du temps perdu.» Dès le premier jour, la délégation du Québec est interpellée par les journalistes qui espèrent à tout moment des prises de bec entre le séparatiste et le fédéraliste. Lévesque contre Trudeau, les frères ennemis, comme on aime les appeler. Pour le premier ministre du Canada, la victoire du PQ est quasiment un échec personnel. Aujourd'hui, faisant contre mauvaise fortune bon cœur, il prédit que le gouvernement péquiste ne résistera pas à sa victoire du 15 novembre.

Cette première rencontre avec ses homologues des autres provinces donne à René Lévesque une dure leçon. Contre toute attente, sept provinces préfèrent se pénaliser elles-mêmes en acceptant deux points d'impôt au lieu de quatre. Aux journalistes qui recueillent ses impressions, Lévesque concède que l'alliance interprovinciale était un leurre. «Les autres ont préféré nous laisser tomber au risque même de perdre les millions du fédéral.» Lévesque revient déçu d'Ottawa, plus convaincu que jamais que la souveraineté est la meilleure solution pour le Québec.

Délaissant les querelles politiques, il parle des prochaines vacances qu'il va passer avec Corinne Côté. Cédant à la demande pressante de sa compagne, il s'affiche ouvertement en sa compagnie.

— Tu ne crains pas les mauvaises langues, lui dit un ami. Après tout, tu n'es pas encore divorcé…

René Lévesque ne cache pas sa réputation de coureur de jupons. Les scrupules ne l'embarrassent pas, il déteste les qu'en-dira-t-on et les leçons de morale. Sa fonction de premier ministre ne changera pas son attitude. Il aime Corinne qu'il a rencontrée huit ans plus tôt, lors du lancement de son livre *Option Québec*. Parmi les invités qui se bousculaient pour un autographe, il avait remarqué une jeune étudiante de l'Université Laval qui venait d'Alma. Née dans une famille de nationalistes, Corinne Côté trouvait René Lévesque admirable. Ne laissait-il pas un parti politique bien établi pour se lancer dans une aventure exaltante sans savoir s'il y aurait un lendemain à ce bel élan de courage ? Parmi les gens qui le félicitaient, Lévesque avait succombé aux yeux sombres de cette jeune fille de vingt ans sa cadette. Le séducteur était piégé. « Appelez-moi », lui avait-il écrit après l'avoir revue à un repas entre amis. Ce qui avait commencé comme une simple aventure s'était transformé peu à peu en une histoire d'amour qui allait durer près de vingt ans. Lui qui ne s'était jamais laissé envahir par ce sentiment rare, voilà qu'il envisage de rompre légalement avec sa femme Louise. Il serait alors le premier chef d'État québécois à divorcer. Tant pis pour les ragots !

Par boutade ou par défi, René Lévesque se considère comme un *Yankeebécois*. Il aime les États-Unis. Ce pays le fascine : son histoire, son peuple, sa géographie. Dès qu'il en a la chance, il file vers la côte de l'Atlantique où la mer et les paysages lui rappellent son enfance en Gaspésie. Loin d'être une menace, les États-Unis sont pour lui une démocratie dont les institutions politiques protègent contre les excès. Il admire le grand rêve d'égalitarisme que portaient les fondateurs de la nation américaine et que des présidents comme Franklin Delano Roosevelt ont incarné. FDR est son héros. Le slogan du *New Deal*, « Nous n'avons rien à craindre sinon la peur elle-même », lui servira d'ailleurs de point de départ pour son manifeste souverainiste *Option Québec*. Pour Lévesque, l'Europe est lointaine. En revanche, l'Amérique, c'est le même continent. Pour le meilleur et pour le pire. Aussi est-il ravi de recevoir en début de mandat une invitation pour une conférence devant les membres de l'Economic Club de New York. Robert Bourassa avait dû attendre trois ans avant de se voir offrir le même privilège ! Mais Lévesque n'est pas dupe de cet hommage : les financiers de Wall Street semblent fort impatients de rencontrer ce chef d'un parti qui veut la séparation du Québec.

Jusque tard dans la nuit, René Lévesque écrit son texte, cherchant l'idée juste, le mot qui touchera ses hôtes. Il rature la phrase qu'il avait laissée en suspens. Lui seul a droit de regard sur le texte qu'il va présenter. Dans ces moments où il veut expliquer ses idées, il redevient le journaliste de l'émission qui l'a rendu célèbre. René Lévesque est à jamais la vedette de *Point de mire*.

Avant le départ pour New York, ceux qui l'accompagnent insistent pour lire son discours. « Il faut modifier certaines expressions, apporter des nuances. » Cet ordre vient aux oreilles du premier ministre qui refuse catégoriquement de déplacer une virgule. Pas question de parler différemment aux banquiers de l'Economic

Club ; il leur dira ce qu'il répète depuis toujours devant l'électorat québécois. Le 24 janvier, un avion atterrit sur une piste privée du New Jersey, avec à son bord la délégation du Québec. Le lendemain, le premier ministre du Québec a rendez-vous avec la puissante Amérique, les bonzes de la haute finance de Wall Street. René Lévesque est impatient et nerveux. Il doit prouver que son gouvernement est un interlocuteur crédible aux yeux du plus imposant empire mondial ; que le Parti québécois peut se positionner sur l'échiquier politique du continent nord-américain. L'agenda des rencontres est chargé. Dans quelques heures, il va rencontrer une vingtaine de prêteurs qui détiennent des millions de dollars. Des investisseurs qu'il faudra convaincre. Lévesque ronchonne pour lui-même : « S'il n'y avait que ça ! » Dans la soirée, ce seront les réceptions et les poignées de main officielles. Son purgatoire.

— Sont-ils tous du même avis ?

On repasse l'émission au cours de laquelle des journalistes analysent la visite du premier ministre à l'Economic Club.

René Lévesque a commis l'erreur qu'il ne fallait pas faire. Un discours décevant ! On ne parle pas comme ça aux Américains. Il ferme la télé, allume une cigarette. A-t-on raison de lui reprocher d'avoir fait un parallèle entre la souveraineté de son pays et la lutte pour l'indépendance des treize colonies américaines ? « Le raccourci était maladroit, lui fait remarquer Claude

Morin, j'avais dit de modifier certains paragraphes.» Lévesque n'est pas du genre à mettre ses bévues sur le dos d'un autre. «Tout le monde sait que c'est moi seul qui écris mes textes.» Et puis, il reste convaincu qu'il avait raison d'évoquer 1776. Même si le contexte historique était différent du nôtre, pense-t-il, le courage de ceux qui aspirent à la liberté est le même. S'inspirant d'Alexis de Tocqueville, Lévesque maintient que les Québécois sont otages d'un système politique qui leur est défavorable. Certes, la comparaison était boiteuse, mais il fallait trouver une image qui frapperait l'auditoire. Il a réussi à brasser la cage.

— Il y avait mille six cents convives dans la salle de bal du Hilton, jamais je ne pourrai croire qu'ils sont tous aussi fanatiques que la clique de Toronto.

Archives nationales du Québec à Montréal, E6, S7, SS1, P771944, #16.

Inauguration, par René Lévesque, des fêtes du patrimoine à Longueuil en 1977.

2

La Révolution tranquille, c'était bien cela

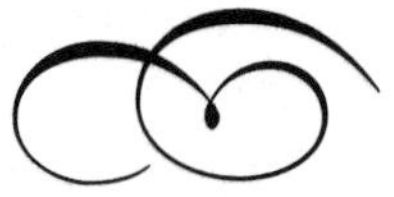

Lundi matin, huit heures, Lévesque est à son bureau de Québec avant les autres. Le projet qu'il redoute le plus est l'épineuse loi sur la langue qu'on doit adopter au plus vite. Il craint que la communauté anglophone et ses représentants qui gravitent dans les hautes sphères de la finance ne se liguent contre son gouvernement. Une loi sur la langue ! De tous les péquistes, Lévesque est l'un des plus réticents à réglementer un sujet aussi chaud. Bien qu'il souhaite que le Québec soit aussi français que l'Ontario est anglais, il tient à ce que les anglophones gardent leurs institutions et leurs droits. Voter une loi sur la langue, c'est comme panser une plaie que la pourriture mange par en dedans. « Je souhaite la souveraineté du Québec pour en finir avec ces querelles qui nous divisent pour rien. »

ꝏ

Dans la nuit du 6 février, Corinne, au bord des larmes, crie : « René vient de tuer un homme ! »

L'accident est arrivé rue Cedar. Tout à coup, devant lui, il y avait des phares allumés, une auto immobilisée. Et un jeune homme qui gesticulait en faisant signe d'éviter quelque chose. « Que fait-il là, cet énergumène ? » avait demandé Lévesque en accélérant. Pour ne pas le frapper, maladroit, il a viré à gauche. La forme d'un corps a soulevé les roues de l'auto. Oui, il y avait bien un homme étendu par terre ! Ce cadavre sur la chaussée glissante, Lévesque est persuadé qu'il l'a tué.

La victime, Edgar Trottier, dans la soixantaine, est sans domicile fixe. Le comble… un sans-abri ! Même s'ils ont reconnu le premier ministre, les agents de police ne lui font aucun passe-droit et posent les questions d'usage. René Lévesque avait-il trop bu ? A-t-il fait une fausse manœuvre ? Était-il distrait ? Portait-il ses lunettes ?

Après l'euphorie de la victoire de novembre, le voilà au plus profond du désespoir. Pendant un moment, Lévesque croit qu'il est fini. « Est-ce que je devrai démissionner ? » Il y a dans cette histoire tous les éléments d'un gros scandale. Déjà, des potineurs ont souligné que le premier ministre n'était pas seul dans l'auto, «il était accompagné de sa secrétaire personnelle». L'allusion est perfide. Tandis que la presse anglophone accable le premier ministre de tous les maux, les médias francophones le prennent en pitié. Ce n'est pas de sa faute. Que faisait un piéton par terre? Et ce garçon qui barrait sa route, a-t-il quelque chose à se reprocher? Dans les sondages, les répondants acceptent majoritairement le constat de la police. Lévesque n'avait pas pris un verre de trop.

— Tu es chanceux que cet accident soit arrivé au début de ton mandat, c'est encore la lune de miel avec les journalistes, lui fait remarquer un conseiller.

Lévesque n'a que faire de cette sympathie. Il voudrait juste n'avoir jamais eu à vivre un tel drame.

L'atmosphère est pesante en ce mercredi matin au *bunker*. Le Conseil des ministres discute du projet que le docteur Laurin a concocté en catimini avec des spécialistes de la question. La couverture de cette brique agace René Lévesque: la main posant un accent aigu sur le mot «Québec» fait penser à quelqu'un qui taperait sur les doigts des insoumis. Dès la présentation du texte, les ministres s'affrontent: les représentants des comtés de Montréal acceptent d'emblée le travail de Laurin. Les autres manifestent vivement leur désaccord. Lévesque est coincé au milieu d'attaques et d'injures. En passant au peigne fin le projet de loi sur la langue, il ménage la chèvre et le chou. Son attitude réservée vient-elle en partie de son enfance à New Carlisle où il a appris à parler couramment l'anglais? À l'encontre des partisans de l'unilinguisme français, Lévesque ne ressent pas l'urgence d'agir. D'où son irritation quand il lance :

— Pour l'amour du ciel, arrêtez d'agiter des épouvantails pour faire peur au monde !

Mais aussitôt, il ajoute que le Parti québécois a le devoir de franciser la métropole parce que Montréal ne doit plus avoir « ce visage bâtard qu'elle avait autrefois quand on ne pouvait même pas demander une paire de bas en français à une vendeuse de chez Eaton ! » La session est levée, il faudra bien trouver un terrain d'entente.

La veille de la présentation du projet de loi 101 à l'Assemblée nationale, René Lévesque convoque Camille Laurin à son bureau. Le problème de l'affichage le chiffonne : pas question de police de la langue qui mesure au centimètre près la grosseur des lettres dans les vitrines. « Il ne faudrait pas que notre loi empêche de vivre les petites pizzerias qui survivent avec trois, quatre employés ! » Le docteur Laurin le rassure ; Lévesque revient à la charge. Il voudrait supprimer l'article 52 qui dit : « Peuvent recevoir l'enseignement en anglais, les enfants dont le père ou la mère a reçu, au Québec, l'enseignement primaire en anglais. » Il préférerait la réciprocité et donner ainsi la chance aux anglophones des autres provinces d'étudier dans leur langue, à la condition que les minorités francophones puissent jouir des droits correspondants.

— On est encore au Canada, il ne faut pas que votre projet de loi soit plus difficile à avaler que la souveraineté-association.

Le premier ministre se lève puis s'assoit, énervé, fumant coup sur coup des cigarettes qu'il mange littéralement.

— Écoutez-moi bien, si jamais ça va mal, c'est vous, Camille Laurin, qui en subirez les conséquences, laisse tomber René Lévesque, qui exhorte son ministre à aller vendre lui-même son projet de loi 101 à la population en lui faisant voir clairement qu'il est seul responsable de ce coup de tête.

Pendant son premier mandat, outre la Charte de la langue française et la Loi sur le financement des partis politiques, le gouvernement péquiste entreprend d'importantes réformes. Qu'il suffise de mentionner la loi anti-briseurs de grève, celles sur la santé et la sécurité au travail et sur la protection du consommateur, la création de la Régie de l'assurance-automobile, la Loi sur le zonage agricole et l'aide aux petites et moyennes entreprises avec le régime d'épargne-actions. En tant que premier ministre, René Lévesque préside à ce vigoureux rattrapage social et économique, mais il avoue parfois à ses ministres qu'il aurait préféré être à leur place plutôt qu'être chef d'État. Heureusement, il a la chance de mener des missions diplomatiques à l'extérieur du Québec, un rôle qui lui rappelle son métier de correspondant. Après New York, Paris. La tournée des grandes capitales se poursuit. Mais, cette fois, pas question d'improvisation. Le premier ministre ne doit surtout pas commettre de gaffe ; la France, c'est la tradition aristocratique.

— Vous irez à Colombey-les-Deux-Églises… bien entendu.

Lévesque se montre indifférent. Est-il nécessaire de faire ce pèlerinage sur la tombe du général Charles de Gaulle ?

— On verra… si j'ai le temps !

La réponse déconcerte son entourage qui ne se laisse pas démonter. Il ne s'agit pas de « fling-flang », comme se plaît à répéter Lévesque quand il veut mettre fin à une discussion oiseuse. Colombey est un lieu symbolique ; éviter ce trajet en Lorraine pour filer droit sur la capitale serait une erreur. Le général de Gaulle n'a-t-il pas été le premier homme politique étranger à propulser l'option souverainiste aux premières pages de l'actualité internationale ?

C'était le 24 juillet 1967. Le président de la République française, lors de l'Exposition universelle de Montréal, s'était rendu à l'hôtel de ville. Puis, à l'étonnement des autorités, il s'était dirigé vers le balcon où il avait improvisé un discours. Porté par l'enthousiasme de la foule, au-dessus d'une mer de fleurdelisés, il avait lancé à la fin un clair et franc : « Vive le Québec libre ! » L'exclamation avait provoqué l'un des incidents diplomatiques les plus commentés de l'histoire. « J'avais été profondément agacé », se souvient Lévesque qui, près de la terrasse, accroupi devant une télévision, avait assisté en direct à cette scène, rivé à l'écran, cherchant à analyser l'impact de cet événement.

— J'ai dit : « Baptême ! De Gaulle, il charrie pas mal. » Comparer l'euphorie de la foule montréalaise à la Libération de Paris en 1944, c'était exagéré. Il allait vite : à l'été 1967, le Mouvement souveraineté-association n'était même pas né ! Ce que je n'aimais pas, c'est que le général, avec tout le respect qu'on lui doit, s'est présenté comme un libérateur avec l'idée de nous décoloniser. L'indépendance, c'est nous seuls qui la ferons, quand nous le voudrons, au moment opportun.

Puis, laissant passer quelques secondes, il ajoute en bougonnant :

— O.K., c'est correct, on va la faire cette visite à Colombey. J'irai me recueillir sur la tombe du général. Après tout, je lui dois bien ce modeste hommage.

Depuis dix ans, les relations entre Ottawa et Paris n'ont jamais été aussi tendues.

L'ambassadeur du Canada en France reproche au gouvernement du président Valéry Giscard d'Estaing de sympathiser avec les souverainistes. Il craint surtout que René Lévesque en profite pour nouer des liens privilégiés avec l'Élysée.

Après quelques jours de vacances en Provence, la délégation québécoise se rend en Lorraine où l'attendent les dignitaires pour la cérémonie en l'honneur de Charles de Gaulle. La télévision qui suit ses déplacements détaille le chef du PQ de la tête aux pieds. Au moment où la porte de la limousine s'ouvre, la caméra fait un gros plan sur les chaussures de cet invité d'honneur : René Lévesque porte des « wallabees » !

« Votre monsieur Lévesque est tellement sympathique », dit-on un peu partout.

Sa nonchalance a un je-ne-sais-quoi qui séduit ceux qui l'approchent. Son allure décontractée — il est

« cool » selon l'expression à la mode du milieu des années soixante-dix — lui est naturelle. Ce premier séjour en France permet de signer des ententes économiques et de sceller l'amitié franco-québécoise qui croît depuis la fin des années soixante. Ainsi, pendant ce séjour, René Lévesque est fait grand officier de la Légion d'honneur. La cérémonie est grandiose : sous les lustres et les ors du salon, le président de la République, Valéry Giscard d'Estaing, pose la rosette sur le revers du veston de René Lévesque qui remercie, mal à l'aise devant tant d'apparat.

— Il porte toujours le même costume, ironise un journaliste. N'a-t-il qu'un seul vêtement dans sa garde-robe ?

Obligée de rester en retrait pendant ce voyage, ne profitant pas des privilèges d'une femme de premier ministre, Corinne est déterminée à ce que son conjoint se décide enfin à divorcer pour l'épouser.

Mais Lévesque n'écoute pas les récriminations de sa compagne ; il a d'autres priorités. Le temps passe et l'échéance du référendum approche. À son bureau, il fait le bilan de son gouvernement :

— La vraie révolution tranquille, c'est maintenant que nous la faisons. Et c'est nous qui donnons le véritable élan de modernité au Québec. En une seule session, nous avons voté plus de quatre-vingts lois, et pas des moindres. Ma fierté, c'est d'avoir permis de mettre fin au grenouillage des caisses occultes à la Maurice Duplessis. Notre loi sur le financement des partis politiques est à l'avant-garde de tout ce qui se fait ailleurs, souligne Lévesque, cigarette entre les doigts et verre de martini à la main.

Lévesque souligne la détermination de la ministre des Consommateurs, Coopératives et Institutions financières qui a réussi à faire passer la loi sur l'assurance-automobile. Le *no-fault*, qui garantit une assurance à tous les automobilistes, sans égard à leur responsabilité dans un accident, était loin de faire l'unanimité au sein du cabinet. « On lui a fait la vie dure », admet le premier ministre, évoquant le courage de madame Payette qui lui fait penser à la lutte que lui-même avait menée dans les années soixante pour la nationalisation de l'électricité.

Mais entre Lise Payette et René Lévesque, il n'y a a jamais eu d'atomes crochus. « C'est un macho, dit-elle. Il regarde les filles en les détaillant de la tête aux pieds… et il n'est pas féministe ! » Et Lévesque de répondre : « Elle m'en veut parce que je dis qu'elle a des états d'âme, paraîtrait que moi aussi… »

Comme dans une classe où les chouchous sont les préférés du professeur, Marc-André Bédard, ministre de la Justice, est l'un de ceux pour qui Lévesque a le plus de sympathie. Mais le cercle des intimes n'est pas très large. De toute façon, quand on ne profite pas des égards du chef péquiste, il vaut mieux passer inaperçu. L'homme est caustique, il est sans pitié pour un ministre qui ne maîtrise pas ses dossiers. Au caucus, il en fait la risée des autres. « Retournez faire vos devoirs ! » lance-t-il, cinglant, devant ses collègues. Pas de temps à perdre. Il sait qu'il peut demander beaucoup à ses troupes, lui qui ne ménage pas ses heures de travail.

— Et puis, ce référendum ?

À mi-mandat, la question revient avec plus de force. Depuis deux ans, les péquistes ont montré qu'ils étaient capables de gouverner le Québec: l'économie va bien et les médias sont leurs alliés. Le climat social est moins trouble que sous le gouvernement libéral. Par exemple, en 1972, les chefs des trois centrales syndicales avaient défié la loi spéciale de retour au travail qu'avait votée le gouvernement Bourassa. Condamnés à un séjour en prison, ils étaient devenus les héros et les martyrs de la cause des travailleurs. Les péquistes, tirant une leçon des erreurs des libéraux, maraudent parmi les travailleurs syndiqués et recrutent en grand nombre dans les secteurs public et parapublic. Mais cette entente fragile ne risque-t-elle pas de se briser? Sans plus attendre, le PQ doit tenir son référendum sur la souveraineté. La lune de miel entre les syndicats et les péquistes prendra fin un jour; l'état de grâce ne tient qu'à un fil, prêt à se rompre.

Tout ce qui traîne se salit, dit le proverbe.

Dans la soucoupe volante du *bunker*, les réunions du Conseil des ministres continuent d'être mouvementées. Fidèle à son habitude, Claude Morin laisse tomber: «Bon, qui allons-nous écœurer aujourd'hui?» En fait, il dit tout haut ce que certains pensent tout bas: le gouvernement en mène trop large, «on est en train de se mettre à dos toute une partie de l'électorat qui trouve qu'on joue aux socialistes».

Le clivage entre les radicaux et les conservateurs se dessine plus nettement. Heureusement pour le PQ, le charisme de René Lévesque opère toujours. Même quand il tranche en faveur de l'un ou de l'autre, il réussit à faire l'unanimité. Ce tiraillage est un vrai casse-tête.

— Lévesque incarne nos contradictions, fait remarquer le docteur Camille Laurin. On le dirait toujours assis entre deux chaises, irrésolu, tiède.

Ce matin, l'odeur de pain brûlé dans le *bunker* confirme la présence du chef péquiste. Avec ses rôties noircies, sa tasse de café fort, l'éternelle cigarette, une seule à l'infini, le premier ministre est déjà au travail. Le métier de journaliste ne l'a jamais quitté. Il ouvre *Le Monde*: au Cambodge, les troupes vietnamiennes ont renversé Pol Pot. Féru de politique internationale, il s'intéresse à ce qui se passe au delà des frontières. En première page du *New York Times*, c'est en Iran que ça bout: le shah a fui son pays qui accueille en rédempteur l'ayatollah Khomeiny. Les problèmes du Québec ne font pas le poids à côté de la misère humaine qui pourrit la planète.

Le travail terminé, il met de côté les querelles des petites chapelles politiques — et vite une partie de poker! Ce penchant est source de division. Certains insinuent cyniquement que pour Lévesque il y a deux sortes de députés: ceux qui jouent aux cartes… et les autres.

— Il y a un comité plénier, à huit heures, lance Lévesque à Marc-André Bédard qui a compris que ce soir on joue aux cartes jusqu'à tard dans la nuit.

ꝏ

En fin de session, René Lévesque donne une conférence de presse. Les journalistes prennent des notes. Oui, il ira en vacances. Où ? Il ne le sait pas encore. Avant qu'on ne lui demande « avec qui ? », Lévesque se lève. La rumeur est tenace. Divorcé depuis peu, il ne sera plus libre pour longtemps. Le 12 avril 1979, le premier ministre unit sa destinée à Corinne Côté. Il a cinquante-six ans, elle, trente-cinq. Plus jamais d'incidents désagréables comme à cette soirée d'hiver où madame Barre avait refusé de parler à la secrétaire de monsieur Lévesque. S'il se marie une seconde fois, c'est d'abord pour légaliser cette union qui dure depuis plus de dix ans. Et pour faire plaisir à celle qu'il dit aimer férocement. Quant à la fidélité...

Après une semaine dans le midi de la France, le retour à Québec s'annonce difficile.

Pendant que le Parti québécois réussit à chauffer l'enthousiasme des troupes pour l'échéance référendaire, à Ottawa, c'est la pagaille. À la fin de mars, Pierre Elliott Trudeau a déclenché une élection qu'il perd le 22 mai aux mains des conservateurs. Dans son bureau, à l'heure du martini, avec ses proches conseillers, René Lévesque jubile :

— Joe Clark au pouvoir, ce sera plus facile.

Trudeau, c'est la bête noire des souverainistes. Le pire, c'est qu'il a le charisme d'une *star* : la majorité des Québécois l'aiment, les autres aiment le haïr. Et voilà qu'il n'est plus à la une des médias en train de miner l'enthousiasme des péquistes.

— Certains ministres voudraient qu'on fasse le référendum tout de suite. Ils sont pressés. Moi, je préfère attendre encore un peu, à l'automne ou à l'an prochain.

Lévesque allume une autre cigarette. Un jeu de cartes sur la table. À huit heures, c'est la partie de poker.

— Gages-tu qu'on va le gagner, ce référendum ?

La question est vaine. Trudeau chassé du pouvoir, les chances de victoire n'ont jamais été aussi bonnes.

ꝏ

René Lévesque n'est pas enclin aux épanchements. Il n'a pleuré que deux fois : la première, lors de la mort de Pierre Laporte. Et récemment, quand sa mère est décédée.

Diane Dionne était une maîtresse femme. À l'âge de la retraite, elle voyageait toujours. En bateau, car elle détestait prendre l'avion. Alerte, indépendante, après avoir suivi des cours de langue, elle décidait de partir un jour en Italie, un autre en Union soviétique.

Lévesque appelait sa mère « Madame Pelletier ». Pour l'agacer, mais aussi parce qu'il ne lui avait jamais vraiment pardonné de s'être remariée avec Albert Pelletier, un avocat nationaliste, dont elle était veuve depuis fort longtemps.

La mort d'une mère et toute l'enfance resurgit, des images d'insouciance et de bonheur.

À New Carlisle, dans la baie des Chaleurs, un petit garçon, libre et sauvage, qui regarde l'océan, bleu comme ses yeux.

Archives nationales du Québec à Montréal, P18, S1, D125.

René Lévesque à l'âge de 3 ans.

Archives nationales du Québec à Montréal, P18, S1, D125.

René Lévesque, étudiant de rhétorique
au collège Garnier à Québec.

3

Le fils de maître Lévesque, esquire

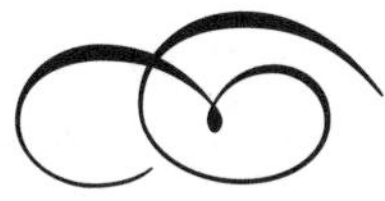

— Nous l'appellerons René, comme dans « renaître ».

Dans le cœur de Diane Dionne-Pineault et de Dominique Lévesque, ce garçon qui voit le jour le 24 août 1922 remplace un peu André, le frère aîné, mort prématurément.

Selon la coutume, il aurait mieux valu donner le prénom du parrain, John Hall Kelly, un Irlandais, puissant financier et homme politique du comté de Bonaventure, avec qui le père s'était associé pour ouvrir un cabinet d'avocats.

Aujourd'hui, quand René Lévesque veut amuser les siens, il se proclame lui-même : John Lévesque, premier ministre souverainiste ! Tit-Jean, pour les intimes ! « Je l'ai échappé belle ! » ajoute-t-il.

Se souvenant de son enfance, René Lévesque compare les inégalités sociales des francophones à celles que subissaient alors les Noirs de Rhodésie, « nous étions des colonisés : les bonnes écoles, les belles villas, toute l'opulence était aux mains de ceux qui s'identifiaient aux vainqueurs de la Conquête ».

Mais à New Carlisle, les Lévesque ne sont pas à proprement parler de pauvres Canadiens français. Certes, dans la première maison qu'ils habitent, rue Principale, en face de la mer, il n'y a pas d'eau courante, mais ce manque de ressources ne dure pas longtemps. Dominique Lévesque est un avocat talentueux. Il a du charme et réussit à se faire un nom. En 1925, il annonce à sa femme qu'il a les deux mille trois cents dollars pour acheter aux enchères une belle maison, au coin des rues Mount Sorel et Second. Toute blanche, en bois, avec une large galerie et un toit pentu.

Les chambres à l'étage ont des fenêtres qui s'ouvrent sur la baie des Chaleurs. Un paysage à faire rêver le petit garçon dissipé, ne tenant pas en place, si espiègle que sa mère doit parfois l'attacher à un barreau de l'escalier.

— Il serait temps qu'on envoie René à Rivière-du-Loup, ordonne Diane qui a besoin de repos après les trois accouchements qui suivront la naissance de l'aîné.

Le séjour chez les grands-parents n'est pas une punition. Quel bonheur de prendre le train, avec ses wagons rustiques, une voie ferrée qui rappelle les films western. Quelle joie d'être libre. De jouer à vendre des bonbons « à la cenne » au magasin général de grand-papa. De retrouver grand-maman.

— Viens, René, dit-elle affectueusement, viens, on va jouer au poker. Si tu perds ta piasse, on efface la dette. Mais si tu gagnes…

Malin, astucieux, René repart souvent pour New Carlisle avec le *jack pot*, une cagnotte bien remplie de ses gains aux cartes. Le goût du jeu, c'est grand-mère Alice qui le lui a transmis. Le bruit des cartes que l'on brasse, l'attente, le cœur qui bat, peu à peu il apprend à aimer ce moment fragile où tout est possible. Entre la victoire et l'échec, le hasard ! Être un funambule en équilibre sur le fil de la vie. Il suppute ses chances, puis se jette à corps perdu dans le vide, pour triompher du néant.

Toute sa vie, René Lévesque sera un joueur.

« L'homme le plus important de ma vie. » En 1986, c'est à Dominique, son père, que René Lévesque dédie ses mémoires. À New Carlisle, l'avocat réputé est le héros de son fils. Les deux se ressemblent. L'amour des livres les unit. Dans cette ville au bout du monde, quand la neige n'est pas trop forte, le train apporte les journaux. On se précipite alors sur le *Montreal Standard*. C'est le temps des mots croisés et des grands défis : qui des deux remplira le plus de cases ? Perdre, c'est humiliant.

— Ce n'est pas juste, vous parlez mieux anglais que moi, soupire le fils boudeur, c'est normal, vos clients vous écrivent dans cette langue.

Il a noté que la correspondance de l'avocat est adressée ainsi: Dominique Lévesque, *Esq*. D'où vient ce titre inusité? *Esquire* — un mot que l'on retrouve chez Jacques Ferron, notamment dans *L'amélanchier* — désignait autrefois un écuyer de petite noblesse. Ici, ce titre veut dire simplement «monsieur». Contexte sociolinguistique oblige, *Esquire*, ça fait chic parce que ça sonne anglais. Dans cet environnement, il est tout naturel que René soit bilingue dès son plus jeune âge: ainsi, quand les petits anglos lui crient «*pea soup! pea soup!*», il leur répond dans leur langue… en leur lançant des cailloux.

Frondeur, turbulent, il court de la forêt à la mer. La pointe de Paspébiac est son royaume. Il n'a peur de rien. En septembre, il se rend à l'école du rang et il pense à ce qu'il fera le samedi après-midi. À la salle paroissiale, le curé vient d'annoncer qu'on présentera un film.

— *Jungle Princess* avec Dorothy Lamour!

C'est assez pour lui donner des ailes. Pendant des jours, il va chantonner la ritournelle: *I love you, you love me.* Son petit cœur bat pour la belle *star* d'Hollywood et encore plus pour la sirène de la baie des Chaleurs qui, la semaine précédente, l'a sauvé de la noyade.

La vraie enfance finit abruptement en septembre 1933: les bagages sont prêts, le lendemain, c'est le grand départ pour le Séminaire de Gaspé. René suivra les traces de son père et sera lui aussi avocat. Comme le veut sa mère. Une chose est sûre, il ne sera pas prêtre, car il n'a aucun penchant pour la religion. Le séminaire, pour lui, c'est d'abord le plaisir de la découverte intellectuelle. C'est pour cela qu'il a si hâte de monter dans le train. De s'en aller, de prendre son envol.

Le trajet est long et peu confortable : pendant cinq heures, il regarde le paysage défiler. La Gaspésie est si loin, on dirait que les fonctionnaires l'ont oubliée. Pour les Micmacs, Gaspé signifie le bout, l'extrémité. La fin du pays. Quand il descend du train, René arrive au bout de son chemin, à l'orée d'une vie nouvelle.

Au séminaire, le jeune élève se démarque des autres. Tandis que la majorité peine durant des heures pour étudier, lui ne consacre qu'une vingtaine de minutes à ses travaux. Après, il s'enferme à la bibliothèque, où il cherche sur les rayons les biographies d'hommes célèbres. L'histoire le fascine. Des professeurs parlent de cet adolescent comme d'un futur leader. Un des rares à ne pas aimer jouer au hockey, il préfère de loin le tennis où il gagne à coup sûr. N'a-t-il pas remporté à quatorze ans le titre de champion junior de Gaspé ? Sur le court, il monte facilement au filet, son service est impeccable. Un as !

Dans la famille Lévesque, on est rouge en mémoire de sir Wilfrid Laurier, ce Canadien français, né à Saint-Lin, qui réussit à gouverner le Canada pendant quinze ans, quel exploit ! Si, au milieu des années trente, Mackenzie King est un dauphin digne de son illustre prédécesseur, son homologue provincial, Louis-Alexandre Taschereau, lui, s'enlise dans les scandales qu'a mis au jour le député de Trois-Rivières, Maurice Duplessis. On va jusqu'à prédire que le 17 août, l'Union nationale, qu'il vient à peine de fonder, va balayer la province. En 1936, René est un adolescent qui vient juste de trouver un travail d'été à la radio. Pas mordu de politique, il assiste néanmoins à une assemblée qui se tient dans la région et, tout excité, il rapporte à son père qu'il est allé voir Philippe Hamel, le chef de l'Action libérale nationale.

— C'est un politicien avec de drôles d'idées : il veut nationaliser les compagnies d'électricité, il a repris à son compte le slogan du chanoine Groulx, *Maîtres chez nous*… crois-tu ça possible ?

Dominique Lévesque n'est plus comme avant. Amaigri, vieilli prématurément, il souffre. On doit le conduire à l'hôpital de Campbellton. Son cas est plus grave qu'on ne l'avait d'abord pensé : il recevra de meilleurs soins à Québec. Les valises sont prêtes. Juin 1937, fraîchement de retour à la maison, René voit partir son père.

— C'est toi l'aîné, veille sur ta mère, sur tes frères, Fernand et André. Ta petite sœur Alice a aussi besoin de toi. Quand je serai de retour, on ira au bord de la mer chercher des homards, à vingt-cinq cents chacun, comme on le fait chaque été.

Il n'y a pas de raison que l'avocat de New Carlisle ne revienne pas, il n'a que quarante-huit ans.

Dans *L'Océan*, train mythique dont le chemin de fer suit la route des voyageurs jusqu'à l'Atlantique, René regarde par la fenêtre le fleuve apaisé sous la lune. Comment trouver le sommeil? Il a un mauvais pressentiment. Pourquoi cet appel? À Rivière-du-Loup, les grands-parents sont à la gare. Plus besoin d'aller à Québec, Dominique Lévesque est mort.

Premier vrai gros chagrin. L'absence jamais comblée. La présence du père à jamais ancrée dans la mémoire et dans les gestes, comme cette manie qu'a le fils de tenir son crayon entre l'index et le majeur… Dominique écrivait aussi de cette façon.

Année 1937. Dernière année au séminaire. Croulant sous les prix, les accessits, René, qui ne sait pas encore ce qu'il fera plus tard, est consterné d'apprendre qu'il ne retourne pas à New Carlisle. Déménagée à Québec, sa mère va se remarier avec Albert Pelletier, un ami de la famille. Pour le jeune homme, quel affront! S'il en avait la possibilité, René se lancerait tout de suite dans le journalisme. Obligé de terminer son cours classique, il s'inscrit au collège Saint-Charles-Garnier, une institution pour les fils de bonne famille. C'est le choc. Pour la première fois, il se sent comme un exilé. Dans le journal étudiant, il écrit: « Je suis le petit Gaspésien dépaysé. » Ses compagnons de classe lui déplaisent; leur étroitesse d'esprit l'irrite. « Ils ont eu tout cuit dans la bouche, ils ne savent pas être généreux. »

Ses amis, il les découvre parmi les artistes. Comme il aime écrire, il signe des articles dans le journal du collège. On le lit, on le commente. Il a du succès. Mais il reste toujours en marge de ce monde qui lui est étranger. Il ne s'en plaint pas. Il a la tête ailleurs.

Chez les Marceau, lieu de rendez-vous d'une faune bruyante, René passe des heures à jouer aux cartes avec la maîtresse de maison, une Irlandaise, qui se passionne pour la situation politique de son pays d'origine.

— Vous êtes une deuxième mère pour moi, lui confie-t-il un jour.

— Et toi, René, tu es mon quinzième enfant !

L'époque est prude. Le cardinal Villeneuve a beau avoir interdit la danse, « c'est un péché », dans la famille Marceau, les filles peuvent rencontrer les garçons. Un soixante-dix-huit tours sur le phonographe, Frank Sinatra, *The Voice*, chante Cole Porter : *I've got you under my skin*. Ce soir-là, un jeune homme pas guindé, cigarette au bord des lèvres, a remarqué une belle brune qui danse le swing. C'est Louise L'Heureux, la fille du directeur de *L'Action catholique*, un quotidien de Québec.

— Je vous ai déjà vue à la patinoire Saint-Dominique… je m'appelle René Lévesque, m'accordez-vous la prochaine danse ?

Quand il enlace sa taille, les deux font un couple ravissant. C'est le début d'une romance qu'aucune ombre ne semble menacer.

Le 3 septembre 1939, la Grande-Bretagne et la France déclarent la guerre à l'Allemagne dont les armées ont envahi la Pologne deux jours plus tôt. Jusqu'en mai 1940, c'est l'attente, la drôle de guerre, comme on l'appelle. Puis les nouvelles parviennent du front : c'est la débâcle, l'armée française accumule les défaites.

À dix-sept ans, René Lévesque se détache des études et fait sienne l'affirmation : « Nous serons ce que nous aurons mérité ! » Quand on l'empêche de fumer, il claque la porte et va rejoindre ses amis pour jouer aux cartes. Sa mère lui fait des scènes : l'aîné de Dominique Lévesque ne sera jamais avocat comme son père. Avec ses notes dans la moyenne, s'il évite la dernière place, c'est à cause de sa mémoire. D'un tempérament nerveux, indiscipliné, il se croit infaillible jusqu'au jour où le recteur du collège lui tend une lettre de renvoi. En septembre 1941, l'inscription à l'Université Laval n'est qu'un intermède pour retarder l'abandon définitif des études.

Je suis un vingt cennes de Valcartier… À la radio, le soldat Lebrun chante le quotidien des pauvres recrues qui pèlent des patates à Valcartier ; le jeune Lévesque, lui, mène la vie de bohème, les cheveux en broussaille, la tenue débraillée. Il traîne sur les plaines d'Abraham, drague les filles, fume jusqu'au mégot sa dernière cigarette. La vie passe, calme, inutile, pendant que dans le Vieux-Québec défilent les petits kakis prêts à s'embarquer pour l'Europe.

Archives nationales du Québec à Montréal, P18, S1, D125.

En 1944-1945, René Lévesque, qui s'est enrôlé dans l'armée américaine, est correspondant de guerre en Angleterre.

4

Voir la guerre de près

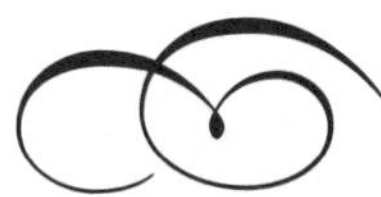

— Je pars demain.

Mai 1944. En uniforme militaire, les bottes fraîchement cirées, le képi vissé sur la tête, René Lévesque fait son entrée dans le salon de la rue de Laune. Qui aurait pu se douter que le flanc-mou de Garnier serait un jour soldat ? Sa mère est bouleversée à l'idée que son fils pourrait mourir sur une plage de Normandie, comme ces inconnus qui ont donné leur vie à Dieppe, en août 1942.

— Je me suis enrôlé dans l'armée américaine. Pas question de tuer des Boches. Non ! Je suis correspondant de guerre.

Quelle bonne idée ! Contrairement aux volontaires et aux conscrits, il n'aura pas à suivre les ordres de commandants canadiens-anglais. D'un jour à l'autre, le bureau de révision de l'armée canadienne risquait de convoquer René Lévesque pour un examen médical. À moins de trouver un docteur complaisant, il n'aurait pu échapper à la mobilisation. Comment sortir de ce pétrin ? Lévesque ne se voit pas en pioupiou sous l'Union Jack. Un Canadien français sans grade, ça, non, jamais ! C'est alors qu'il a cette idée brillante : entrer en contact avec Phil Robb de l'Office of War Information. « Dans l'armée de l'oncle Sam, pense-t-il, je n'irai pas sur la ligne de feu. » Et comme il est bilingue, il peut espérer devenir interprète en traduisant des communiqués pour les Américains.

Quand Lévesque obtient son visa, le conflit mondial a pris une nouvelle tournure : les États-Unis sont définitivement entrés dans cette guerre que Roosevelt a bien l'intention de gagner.

René Lévesque a vingt et un ans et il s'apprête à voir de près la guerre, sans avoir à la faire. Ce qui n'est pas sans risques, bien sûr. Là-bas, les Allemands continuent à lancer leurs bombes. Oui, il a peur, mais pas assez pour reculer. Dans une dernière lettre à sa mère, il fanfaronne. « Avec plus de cinq mille dollars, je pars en croisière ! »

Il crâne, se doutant que ce voyage n'aura rien de belles vacances sur l'océan.

Au quai numéro 9, une vingtaine de passagers montent à bord de *L'Indochinois*. René Lévesque fume, appuyé sur le bastingage et regardant le ciel. Pas d'étoiles, un brouillard couvre la ville qui dort. Une atmosphère à la Hitchcock, comme dans *The Secret Agent* qu'il a vu récemment dans un petit cinéma de la rue Sainte-Catherine. Une autre cigarette. L'année précédente des *U-Boote* allemands ont crevé le ventre d'une trentaine de bateaux alliés. Il remonte le col de son gilet. Boo ! Boo ! Le signal du départ est donné. Il se dit qu'en passant devant Québec il aura une pensée pour sa mère, ses frères et sa sœur. Et pour Louise, sa fiancée, qu'il a promis d'épouser à son retour. Si tout va bien. Entre-temps, elle devra faire preuve de patience. « Je t'enverrai des lettres, ma belle. Juré ! » Mais ce cœur d'artichaut pensera à Louise… en séduisant les autres. Comme cette petite Bernice qui s'en retourne dans son Yorkshire natal. Elle est si mignonne !

À l'American Broadcasting Station in Europe, René Lévesque lit des messages codés qui ressemblent aux cadavres exquis des surréalistes. S'il aime son travail, il préfère aller *Chez Auguste*, un bistrot où il joue aux cartes, une passion qui le suit sous tous les cieux. Et à cette époque, le ciel de Londres est un champ de bataille. À tout instant, on craint le *blitz*, la guerre aérienne d'usure, le *blitzkrieg*, qu'ont connu les Anglais du 7 septembre au 2 novembre 1940.

De nouvelles bombes sifflent dans la nuit. Le temps n'est plus à la fiction, comme au cinéma où les héros triomphent des méchants. Aujourd'hui, c'est la concierge de son immeuble qui pleure et supplie : pourvu que les bombardiers ennemis nous épargnent !

Sur les ondes de la BBC, Vera Lynn chante *The White Cliffs of Dover*; Londres, avec ses gros taxis noirs, ses autobus rouges à deux étages et le Big Ben qui sonne le temps qui passe, n'a jamais été aussi nostalgique. Traversant Hyde Park, Lévesque observe un attroupement. Est-ce une démonstration militaire? Un Hindou, barbe longue, corps maigre emprisonné dans un linceul blanc, menace l'Empire de tous les maux. Cette scène serait impensable au Québec. «Nous souffrons de nos petites querelles de chapelle», écrit Lévesque à sa famille. De fait, ce séjour en Angleterre va l'émanciper, lui ouvrir des horizons. À sa mère qui lui annonce son intention de voter pour Maurice Duplessis, il répond: «Non, non, ne fais pas ça!» Il en arrive même à lui conseiller de s'abstenir, même si c'est la première fois qu'elle pourra enfin se prévaloir de son droit de vote. Pour Lévesque, le «cheuf» incarne une vieille garde politique qui ne correspond plus à l'air du temps.

René Lévesque n'a tout de même pas traversé l'Atlantique pour s'abrutir dans un emploi de rond-de-cuir. Jouer aux cartes, gagner des *pounds* au bluff: il s'ennuie. Et puis les filles n'ont rien de séduisant avec leurs jupes trop longues. Don Juan est déçu. Un jour, on lui annonce la nouvelle qu'il espérait: son visa est prêt pour la France.

À vingt-deux ans, le lieutenant junior René Lévesque rejoint le 12e groupe des armées du général

Omar Bradley. Plus tard, il fera équipe avec le général Patton. Toute une aventure !

Sur le continent, la guerre est loin d'être finie. Il n'y a pas de reddition chez les exaltés suicidaires qui ont pris les armes. Le lieutenant junior Lévesque, plume à la main, témoigne des derniers soubresauts de la folie des nazis. Ils n'ont plus rien à perdre, les soldats allemands abandonnés par l'état-major des SS. À quarante kilomètres de Strasbourg, Lévesque se terre dans un vignoble. Il fait froid, il pleut. Les conditions matérielles sont repoussantes. Pas d'hygiène, pas moyen de se réchauffer quand les vents se lèvent. Sous leur manteau kaki, les hommes grelottent, le col relevé jusqu'aux oreilles. « C'est là que j'ai perdu la voix », confie plus tard René Lévesque. Laryngites mal soignées, grippes, maux de tête, jamais son corps n'a autant souffert. Craint-il pour sa vie ? Dans ses lettres, il préfère souligner la bravoure de ses compagnons. Entre les Français des forces libres et les Américains, Lévesque est le Canayen. Débrouillard, profitant de son statut privilégié qui le met à l'abri des conflits personnels, il joue le messager entre les deux camps. Alors qu'il rejoint la division du général Patton, il a cependant l'impression que l'horreur va le rattraper bientôt. En mai 1945, l'unité à laquelle il appartient doit entrer dans une ville allemande qu'il ne connaît pas. Dachau.

ꝏ

— *Konzentrationlager* ?

Un paysan bavarois penché au-dessus de la jeep olive des Américains montre un chemin droit devant.

Ce n'est pas très loin de là, près de ces maisons étrangement restées intactes, et où l'on imagine des familles en train de prendre le repas. Dachau, une ville comme les autres à première vue. Mais plus on avance, plus le spectacle de désolation est poignant. Ici, les bombes des Alliés ont crevé des bâtiments, de la fumée s'échappe encore des gravats et des pierres ; là, un terrain vague, comme si des édifices avaient été soufflés. Sur le chemin, des inconnus tirent des charrettes remplies des seuls biens qui leur restent. Des femmes et des enfants pleurent et mendient. Mais la jeep poursuit sa route. Au bout, il y a l'enfer. Les camps de concentration.

Des voies ferrées s'entrecroisent pour déboucher à l'entrée du camp. Aux quatre coins s'élèvent des miradors, vides. La jeep américaine traverse les portes de fer forgé qui s'ouvrent sur un parc immense. De part et d'autre, des bâtiments aux murs aveugles sont partiellement cachés par des convois de trains abandonnés. Comme ses compagnons, le lieutenant junior René Lévesque descend du véhicule. Des corps maigres en pyjamas rayés sortent des bâtiments pour s'élancer vers les libérateurs. Les garnisons ont déserté, laissant là des humains dans des conditions pires que du bétail. À Dachau, à Buchenwald, toujours l'horreur. Lévesque griffonne sur un papier les réponses que lui donne un prisonnier français à qui il a offert une cigarette. Comment raconter l'indicible ? Les rafles de la *Geheime Staatspolizei*, la Gestapo, le tri des déportés. Et les Juifs, portant l'étoile jaune, l'avant-bras tatoué d'un numéro, embarqués de force dans des wagons qui aboutissaient ici.

Être correspondant de guerre, c'est mettre au jour les injustices, les expliquer, les dénoncer. C'est écouter un survivant qui montre au loin les cages de bois superposées qui servaient de lits. Là-bas, des prisonniers ont péri dans les chambres à gaz qui ont l'apparence de salles de douche. « Au fond, sur la butte, il y avait le peloton d'exécution. » Plus loin, un édifice qu'il désigne : « Les fours crématoires où l'on amenait des femmes et des enfants. »

À ce moment, des cris fusent d'un peu plus loin. Des prisonniers ont découvert un soldat allemand qui s'était caché dans un buisson : « Un kapo ! Un kapo ! » L'ancien bourreau les prie à genoux de l'épargner. Avec la force de la vengeance, sans pitié, un homme à l'air stupide lui assène des coups de bâton sur la mâchoire. De rage, il s'acharne sur ce corps. Bientôt, ce qui était un homme n'est plus qu'un amas de chair ensanglanté. « Que pouvions-nous faire ? » se demande Lévesque.

Cette guerre, il la portera longtemps en silence, car il craindra que les mots ne trahissent son dégoût des hommes. Hanté par ce qu'il a vu à Dachau, emporté par un idéal de démocratie, Lévesque ne se fait pas d'illusions sur le sens du mot « humanité ». De cette époque naît sa répulsion pour l'extrémisme qui l'amène à chercher la mesure en tout. Après avoir vu les camps de la mort, Lévesque croit que le rôle d'un journaliste est d'éveiller les consciences. C'est ce métier qu'il veut faire désormais.

Archives nationales du Québec à Montréal, P48, S1, P23495

René Lévesque, journaliste à Radio-Canada, lisant un texte au micro au Cercle des journalistes de Montréal, en juin 1949.

Archives nationales du Canada, C-077793.

En 1951, René Lévesque se rend en Corée-du-Sud comme reporter pour Radio-Canada.

5

La passion de communiquer

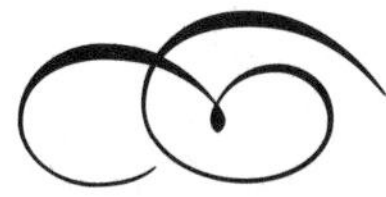

Au port de Québec, à sa descente du bateau, René est accueilli par sa famille. Quelles nouvelles d'Europe ? N'est-il pas l'un des rares à s'être rendu jusqu'au nid d'aigle d'Adolf Hitler un peu avant la défaite des Allemands ? De ses bagages, il sort un disque, *Lili Marlene* ; sur la pochette, un autographe est effacé, quasi illisible. Il a trouvé ce trésor dans des rebuts.

— À Milan, j'ai vu Mussolini et sa maîtresse Clara Petacci dont les dépouilles avaient été pendues par les pieds. La foule, qui autrefois les adulait, à présent se ruait pour injurier les cadavres.

Voir du pays, c'est s'ouvrir au monde. Si tout semble pareil, un souffle nouveau est en train de balayer le Québec. En attendant, Maurice Duplessis, au pouvoir depuis 1944, règne sans opposition. La province n'a jamais été aussi bleue, de la couleur de l'Union nationale, de ses partisans et de sa clique.

Lévesque, lui, s'intéresse à la géopolitique qui transforme la planète. Août 1945. Le président américain Harry Truman fait larguer la bombe atomique sur Hiroshima et Nagasaki. Puis, à la conférence de Yalta, Staline coupe les frontières comme il le ferait d'un gâteau : ce morceau de la Pologne pour lui, les miettes pour les autres. L'actualité internationale fascine René Lévesque. « On dirait que ce qui se passe ici te laisse froid », lui reproche un ami.

Communiquer est sa passion, la radio en est le média le plus efficace. Mais il y a un hic. Il faut avoir une belle voix. Jamais Lévesque ne pourra rivaliser avec Roger Baulu, François Bertrand ou René Lecavalier. Qu'importe ! Ses années d'expérience combleront ses défauts. Il a du cran et du charme. Va-t-il abandonner ses études de droit ? René reste sourd aux arguments de sa mère qui voudrait tant le voir porter la toge comme son père.

— Radio-Canada me verse deux mille sept cents dollars par année, le gros lot ! Je m'installe à Montréal.

De quoi mettre un point final aux doléances de Diane qui s'avoue vaincue.

~

Dans le studio, Lévesque attend un signe de son réalisateur. Prenant le micro, il annonce d'un ton assuré :

— Ici, La voix du Canada, Montréal, Canada.

Il est dix-neuf heures en France. Engagé comme speaker, Lévesque présente d'abord l'émission *Les Actualités canadiennes*. À vingt-quatre ans, il connaît les rouages du métier : lire les journaux, faire des chroniques et des entrevues. L'équipe est enthousiaste. Lévesque s'intègre à une bande d'artistes qui passent les week-ends sur les courts de tennis. Plus question de sa fiancée Louise à qui il avait promis le mariage avant son départ. Pour aller au cinéma et au théâtre, il n'est jamais en peine de trouver une compagne, comme cette belle fille qui travaille à Radio-Canada, une intellectuelle un peu froide et distante. Employée au Service international, elle est franchement séduisante.

— Vous savez, je suis aussi comédienne… depuis 1938, je joue Élise Velder dans *La pension Velder* de Robert Choquette.

Judith Jasmin a six ans de plus que René Lévesque. Tous deux ont la passion du journalisme. Érudits, curieux et moqueurs. Ils étaient faits l'un pour l'autre.

Louise s'impatiente : plus d'une année et son fiancé, René, semble jouer allègrement au célibataire. Lui à Montréal, elle à Québec : le temps file et la possibilité d'un mariage s'enfuit chaque jour. S'il le pouvait, Lévesque éviterait de se mettre la corde au cou. Séducteur dans l'âme, il flirte comme il respire, juste pour le plaisir. Il n'a pas la tête à l'amour et affirme : « Ce que j'ai vu en Europe m'est resté dans la tête. Dachau, les déportés sur les routes, l'abrutissement des foules, leur haine incontrôlable. » Son travail à la radio l'accapare, les responsabilités matrimoniales sont incompatibles avec ses projets.

Pendant un temps, il réussit à éloigner le jour où il va s'engager pour le meilleur et pour le pire. Mais ses promesses finissent par le rattraper : le 3 mai 1947, il épouse Louise L'Heureux à Québec. Cérémonie intime où les jeunes mariés sont surtout pressés de partir à Virginia Beach, pour se prélasser sur le sable et se baigner dans l'océan.

À leur retour, ils s'installent à Montréal. La naissance d'un fils resserre les liens de la famille. Mais à la vie tranquille, qu'il déserte peu à peu, Lévesque préfère de loin l'exaltation du métier de journaliste.

Parce que ses patrons ne lui font pas assez confiance, il fait savoir qu'il veut quitter le Service international. Il lui pèse d'être confiné à des tâches routinières. Bourreau de travail, il s'enferme à la bibliothèque des jours entiers, y prend des notes sur ce qui se passe dans le monde, puise ses informations dans la presse américaine et la presse française, à une époque où peu de collègues sont aussi éclectiques. Lévesque est convaincu qu'on reconnaîtra son talent. Ce jour n'est pas très loin.

Alors qu'en janvier 1948 le Québec se dote d'un drapeau, le fleurdelisé, Lévesque, lui, parle davantage de la réélection de Harry Truman ; il est en colère contre les Américains qui ont reporté au pouvoir ce *hillbilly* en habit du dimanche.

La politique canadienne, quelle grisaille ! Louis Saint-Laurent, que l'on appelle « oncle Louis », en bon dauphin de Mackenzie King, perpétue la tradition libérale à Ottawa. La politique québécoise, quel ennui ! Bien qu'il juge sévèrement Maurice Duplessis qui mène à la dure la province, René Lévesque se tient éloigné des réformes sociales qui s'annoncent. En août 1948, de jeunes artistes réunis autour du peintre Paul-Émile Borduas publient *Refus global*. Les signataires dénoncent la religion qui étouffe la société canadienne-française et s'en prennent aux autorités politiques, à leurs mensonges et à leurs trahisons. Forcé de démissionner de son emploi à l'École du meuble, Borduas s'exile à Paris où il mourra en 1961. Judith Jasmin, qui connaît bien la comédienne Muriel Guilbault et le poète Claude Gauvreau, parle souvent de ses amis pamphlétaires.

Mais Lévesque se méfie de ces exaltés. Leur exaspération ne le touche pas.

Annonceur au Service international, il veut être ailleurs. La guerre de Corée sera sa chance.

Le 25 juin 1950, cinq divisions nord-coréennes franchissent le 38e parallèle pour foncer sur la capitale sud-coréenne, Séoul. Une étincelle peut allumer le feu qui couve depuis la fin de la Seconde Guerre mondiale. Le Conseil de sécurité des Nations Unies condamne l'agression de la Corée-du-Nord au moment même où le président Truman ordonne l'envoi de troupes américaines. Sous le commandement du général Douglas MacArthur, les combattants de l'ONU repoussent les troupes nord-coréennes de Kim Il Sung jusqu'à la frontière chinoise.

Ces événements passionnent Lévesque à tel point que le syndicaliste Jean Marchand, l'un de ses plus redoutables partenaires au poker, ne se prive pas de lui reprocher d'en savoir plus sur la péninsule asiatique que sur son pays.

— L'an passé, dit-il en le bluffant aux cartes, tu n'as même pas appuyé les grévistes d'Asbestos que la police de Duplessis a tabassés.

— Je travaille à Radio-Canada, je dois rester neutre, répond Lévesque qui se décrit lui-même comme un « semi-déraciné ».

Coup de maître : fasciné par la guerre de Corée, il réussit un jour à interviewer un soldat qui faisait partie du bataillon canadien sous les ordres des Nations Unies. Sur son lit d'hôpital, le blessé lui confie que les jeunes Américains sur la ligne de feu ne souhaitent qu'une chose : revenir au plus tôt chez eux. René Lévesque a trouvé le ton juste : son reportage tranche sur ce qui se fait à l'époque. Quand Radio-Canada lui propose un poste de correspondant de guerre en Corée, il regrette de ne pas être libre, « car je partirais sur-le-champ » !

Père de famille de deux enfants, il subit les foudres de sa femme : « Quoi ? Vas-tu quitter la maison pendant six mois ? » lui dit Louise, estomaquée. Mais René va-t-il refuser l'offre de ses employeurs ?

Personne ne peut lui faire changer d'idée. En juillet 1951, il annonce à ses proches :

— J'ai mon visa en poche, je pars dans quelques jours.

Le véhicule des forces armées s'enfonce dans la jungle. Direction : un *no man's land*, à la hauteur de la rivière Imjin, coin isolé pareil à un décor de film où l'on s'attendrait à voir surgir John Wayne. Mais ici, il ne s'agit pas de fiction. Enfermé dans une tente, entre un grabat et une table bancale, René Lévesque s'installe ; son studio est ce pauvre cagibi. Le voilà prêt à faire battre le cœur de l'Histoire. À des milliers de kilomètres du Québec, il va raconter ce qu'il a vécu aux auditeurs de Radio-Canada.

Son style direct et franc étonne. Sa signature est cette voix éraillée et son phrasé nerveux. On écoute René Lévesque. Dans ce média encore jeune, il dépoussière le style de l'époque, rejette sa prétention. Sur les traces d'embuscades chinoises, il suit un bataillon canadien. Transi sous les averses, il partage la peur des soldats ; lui aussi traque l'ennemi qui s'avance baïonnette à la main. Magnétophone en bandoulière, il recueille les témoignages d'acteurs jouant une pièce de théâtre sans *deus ex machina*. Lévesque invente la radio-vérité. À son émission *Un dimanche en Corée avec le 22e régiment*, il fait entendre un soldat qui s'ennuie du lac du Sapin Croche où il aimait aller à la pêche.

La guerre de Corée s'éternise. Des morts partout. Lévesque, lui, reçoit des lettres de sa femme qui le supplie de revenir à la maison. N'est-il pas injuste de faire porter le poids de la solitude à sa famille ? En septembre, 1951, c'est le retour à Montréal. Dorval a des airs de printemps en ce début d'automne.

ꝏ

René Lévesque est déterminé à quitter le Service international ; à présent, il veut passer à la radio nationale. On a beau lui répéter qu'il n'est pas aussi élégant que les annonceurs maison, qu'il n'a ni leur diction ni leur timbre de voix, il tient à son ambition.

Après l'Asie, on lui confie la couverture du voyage de Leurs Altesses Royales Élisabeth et Philippe de Grèce. La monarchie britannique est alors à son zénith et Radio-Canada en est la voie royale. Pour Lévesque, cette affectation journalistique est une partie de plaisir. Il a la tête dans les nuages. En compagnie de Judith Jasmin — qui s'est amourachée de lui et qui espère qu'il quittera sa femme pour vivre au plein jour leur roman d'amour —, il couvre ces événements spéciaux comme s'il était en lune de miel. La direction de Radio-Canada, que sa désinvolture choque, le rappelle à l'ordre.

ꝏ

Les remontrances l'indiffèrent. Désormais, il n'a qu'une idée en tête : faire partie de l'équipe qui va lancer la télévision au Canada, le 6 septembre 1952.

À première vue, Lévesque semble tout désigné pour les cérémonies d'ouverture. Déception. C'est à

Judith Jasmin que revient cet honneur. Il doit poireauter encore un temps avant de présenter enfin une émission d'affaires publiques : *Carrefour*. Calquées sur le modèle de l'interview à la Joseph Morrow — l'animateur américain le plus en vogue de l'époque —, ses entrevues font voir les hommes politiques sous un nouvel éclairage.

À l'aube de la Révolution tranquille, la télévision prépare ses vedettes. René Lévesque y imprime sa personnalité, car il sait tirer avantage de ce média. Mais il doit constamment se battre contre la direction de Radio-Canada qui persiste à ne pas lui confier un rôle de premier plan. Exaspéré par les refus, il accepte de renoncer à ses droits d'employé régulier pour présenter l'émission qui lui convient.

Le dimanche 28 octobre 1956, un générique s'ouvre à vingt-trois heures quinze : c'est *Point de mire*.

L'idée est de René Lévesque, le titre aussi. Le décor est simple : une table, un tableau noir et une carte du monde. Chaque semaine, craie en main, comme un pédagogue devant une classe, Lévesque analyse un événement ou un problème qui occupe la place centrale dans l'actualité. Un soir, il est question du canal de Suez que Nasser a voulu nationaliser. La semaine suivante, baguette à la main, il délimite les frontières de la Hongrie qu'ont envahie les chars de l'Union soviétique.

Une légende se crée. Certes, les cotes d'écoute de *Point de mire* n'atteindront jamais celles de *La soirée du hockey* ni celles de *La famille Plouffe*, mais cette émission possède la qualité rare d'ouvrir le Québec à d'autres horizons. L'information internationale, parent pauvre de la télévision, est pour la première fois un sujet de polémique. En 1958, René Lévesque est propulsé à l'avant-plan de l'actualité quand il part couvrir le référendum en Algérie. Ses reportages sont des leçons d'histoire. Dans les rues d'Alger, comme s'il était à Montréal, il donne la parole à des inconnus. Avec lui, l'image du village global se précise, le téléspectateur comprend que les problèmes de la planète se répercutent jusque chez lui. Le succès de *Point de mire* n'est pas fortuit, il repose sur une somme de travail qui commence à la bibliothèque, où Lévesque s'enferme pendant des heures pour dépouiller les journaux et les encyclopédies. Toujours la même méthode : prendre des notes, raturer des dizaines de fois. Trouver la phrase juste.

— Vous êtes prêt, René ?

Le réalisateur Claude Sylvestre s'amène avec la feuille de route : dimanche matin, il y aura une dernière réunion avant l'enregistrement. Pourvu qu'un événement majeur ne surgisse pas dans l'actualité !

Pigiste à Radio-Canada, René Lévesque gagne seize mille dollars par année, soit le double de ce que font ses confrères. Il aime son équipe et surtout il a les coudées franches pour les sujets de *Point de mire*. Tout roule pour lui. Père de trois enfants, il passe en coup de vent à la maison. Son travail l'accapare et ses aventures sentimentales sont des passades sans lendemain. Il se dit qu'il pourra faire ce métier longtemps ; c'est sans compter sur des événements qui chambarderont ses certitudes.

6

Ministre du gouvernement Lesage

À dix-sept heures le 29 décembre 1958, dans le hall de l'édifice Ford, un leader syndical ordonne : « Tous dehors ! » Aussitôt, soixante-quatorze réalisateurs de Radio-Canada se regroupent sur le trottoir de la rue Dorchester. Il fait froid. Les grévistes se tapent dans les mains pour se réchauffer. Ce qu'ils réclament, c'est le droit de se réunir en association, et reprochent à leurs patrons qui siègent à Toronto d'ignorer les revendications du Service français et de considérer Montréal comme une bourgade. En 1958, Radio-Canada, c'est la CBC, la Canadian Broadcasting Corporation.

Le premier jour du conflit, René Lévesque est à son bureau. Il s'impatiente : où se trouve son

Archives nationales du Québec à Montréal, E6, S7, SS1, P641133.

René Lévesque, ministre des Ressources naturelles
du gouvernement libéral de Jean Lesage, inaugure
une exposition d'art inuit à l'hôtel Reine-Élisabeth, en 1964.

réalisateur ? Le temps presse, l'enregistrement de *Point de mire* doit commencer quelques minutes plus tard. Jetant un coup d'œil à l'extérieur, il reconnaît Claude Sylvestre :

— Quoi ? Il est dans la rue avec les autres ?... Gang de caves !

Sa colère n'a d'égale que sa frustration : réflexe naturel, il craint de perdre ses avantages. Juste au moment où il a réussi à mettre en ondes une émission qui lui ressemble, voilà que le désordre s'installe. Certes, il approuve les demandes des réalisateurs, mais depuis qu'il est pigiste, il se sent en marge des batailles qui se jouent entre l'administration et les employés de Radio-Canada. On lui demande de prendre position. Il répond sec qu'il n'a pas l'intention de se mêler de cette grève. « Tout ça ne me regarde pas ! » À la maison, sa femme le convainc de rester neutre. Avec trois jeunes enfants, ses obligations familiales le contraignent à rester fidèle à ses patrons qui lui ont fait signer un contrat des plus avantageux.

Son apparente indifférence s'explique. Empêtré dans des aventures sentimentales, il panique quand il apprend que l'une de ses maîtresses vient de donner naissance à un enfant. Mener une double vie lui cause des tracas. Ses problèmes personnels s'ajoutent à ceux de son travail. Peu à peu, comme une échappatoire, sa vie publique finira par s'imposer.

Au début de l'année 1959, la grève des réalisateurs de Radio-Canada est dans un tunnel sans lumière. Depuis quinze jours, les grévistes se battent contre le froid en piétinant devant l'édifice Ford. Devront-ils passer l'hiver dehors ? Les cadres se disent qu'ils les auront à l'usure. Pour se consoler, les réalisateurs peuvent compter sur l'appui de l'Union des artistes dont les membres sont invités à ne pas franchir les piquets de grève. À la mi-janvier, pour combler les pertes salariales, on organise une levée de fonds par la présentation d'un spectacle-bénéfice qui dépasse toutes les attentes. À la Comédie canadienne, le public se presse pour voir Denise Pelletier danser le mambo et pour applaudir Olivier Guimond dans un sketch de burlesque. *Difficultés temporaires* obtient un succès si éclatant, si populaire qu'on décide de le présenter en province.

— Viens avec nous, demande-t-on encore une fois à René Lévesque, qui finit par accepter.

Et entre deux numéros, le journaliste-vedette ressuscite *Point de mire*. Sur un tableau noir, il explique pourquoi les réalisateurs de Radio-Canada veulent faire reconnaître leur association. Il accuse Toronto de laisser tomber les *natives*. Lévesque a du succès. Ses arguments tombent pile ; avec des mots simples, il réussit à faire lever la salle.

Mais un spectacle ne suffit pas à régler un conflit. Après être montés sur la colline parlementaire d'Ottawa pour manifester leur ras-le-bol, les grévistes organisent une assemblée à Montréal. Cela fait plus de soixante jours que la direction fait la sourde oreille aux revendications des réalisateurs. René Lévesque est à présent l'un de leurs plus fervents supporters. Au théâtre du Gésù, il harangue les grévistes. Est-ce lui qui les invite à prendre d'assaut les portes de l'édifice Ford ?

— C'est un agitateur ! dira de lui un inspecteur de la police.

Ne le voit-on pas à la tête d'un groupe qui descend Bleury pour emprunter Dorchester ? Sur le qui-vive, les forces de l'ordre bloquent le passage aux manifestants. La bousculade fait des blessés. Certains entonnent le *Ô Canada* pendant que, des porte-voix, on entend : « Circulez ! Circulez ! » Coincés, les grévistes sont pris au piège. Enfourgonné dans le panier à salade avec une vingtaine de personnes, Lévesque sait qu'il vient d'hypothéquer son avenir à Radio-Canada ; la direction va sans doute lui enlever *Point de mire*. Le lendemain, une photographie circule dans les journaux : un homme de face, l'air insolent et ahuri, une tuque enfoncée jusque sous les oreilles.

René Lévesque sort de prison. Il entre dans l'histoire.

ꝏ

La mort du premier ministre Maurice Duplessis, le 7 septembre 1959, suivie de celle de son dauphin, Paul Sauvé, cent jours plus tard, déconcertent l'Union nationale. Antonio Barrette, qui prend la relève, fait appel à l'électorat pour légitimer son mandat. Les élections provinciales ayant lieu le 22 juin 1960, la campagne s'ouvre en coup de vent, en donnant l'impression qu'un monde ancien est à l'agonie. Bien décidé à prendre le pouvoir, Jean Lesage est à la recherche d'hommes de qualité. Il veut former une équipe « du tonnerre », expression qui désignera la troupe qu'il est en train de mettre en place. À Montréal, dans ses quartiers de l'hôtel Windsor, le chef libéral note les noms de ceux qu'il aimerait avoir avec lui : Jean

Marchand, leader syndical flamboyant, adversaire de Duplessis lors de la grève d'Asbestos ; Gérard Pelletier, journaliste talentueux, intellectuel de classe ; Pierre Elliott Trudeau, professeur de droit constitutionnel, bourgeois racé et, de surcroît, bilingue.

Lesage ne cache pas ses préférences. Un des trois — ou mieux, les trois ensemble — serait le meilleur coup pour le Parti libéral du Québec.

— Mais toi, René, ça ne te tenterait pas de faire le saut en politique ? lui demande un jour Jean Marchand. J'ai parlé de toi. Je t'ai vanté. Les libéraux aimeraient te rencontrer.

Lévesque a-t-il le goût de s'engager dans une campagne électorale qu'il pourrait perdre ? Il cale un dernier scotch, éteint sa cigarette. « Salut, Jean, on se reverra la semaine prochaine ! » Lévesque enfile son manteau. Court moment de réflexion. Il pousse la porte… Quand il prend l'ascenseur qui le mène au bureau de Jean Lesage, il n'a pas préparé de discours, il dit seulement :

— Monsieur Lesage, me v'là ! J'accepte le comté que vous voudrez bien me donner… je veux faire partie de votre équipe.

La circonscription de Montréal-Laurier est loin d'être gagnée d'avance : pour s'y faire élire, René Lévesque doit affronter une machine bleue bien rodée, qui a hérité des méthodes de persuasion à la Duplessis. Les coups volent bas. Avec son aura de vedette de télévision, Lévesque dérange. Tôt dans la campagne, on s'en prend directement à sa personne et à ses idées : « C'est un communiste... il a rencontré Nikita Khrouchtchev. » Jusque dans les assemblées de l'Union nationale, le souvenir de son voyage à Moscou, qui remonte à plus de cinq ans, le poursuit. La caricature est si grosse qu'elle finit par se retourner contre ceux qui la servent.

Une élection, c'est d'abord une entreprise de séduction. À ce titre, Lévesque n'a pas de problème. On a beau lui reprocher son filet de voix, ses manières frustes, ses phrases imagées qui se perdent dans des métaphores étonnantes, dans le porte-à-porte, on le reconnaît et on le félicite pour ce qu'il faisait à *Point de mire*. L'homme est sympathique. Les gens l'estiment pour ses réalisations, son audace, son intelligence. Pendant ses tournées, Lévesque est accompagné du lutteur Johnny Rougeau. Bâti comme une armoire à glace, celui-ci en impose. Si l'image contraste entre le garde du corps et le candidat député, le travail et l'amitié les unissent.

— As-tu vu le coup qu'ils ont monté ?

Le candidat député apprend que ses adversaires ont trouvé un homonyme pour confondre les électeurs : dans Montréal-Laurier, il y aura deux René Lévesque à se présenter. Les électeurs devront donc faire attention pour ne pas se tromper. Va-t-il perdre ce comté pour des raisons aussi futiles ? « On ne gagne pas des élections avec des prières ! » disait Israël Tarte. L'Union nationale et le Parti libéral ne ménagent pas les méthodes douteuses pour remporter un siège à l'Assemblée. Des hommes d'affaires ont établi leur royaume dans Laurier. « Si je gagne, promet René

Lévesque, je mettrai fin aux caisses occultes.» S'il s'est engagé en politique, c'est pour faire entrer le Québec dans la modernité. Fini le graissage de patte à la Duplessis, désormais, il défend une image dynamique et rajeunie de la politique.

En 1960, rien n'est gagné d'avance pour Lévesque qui se demande si les Québécois vont se reconnaître dans le slogan de son équipe: «C'est le temps que ça change.»

Le 22 juin, on attend impatiemment les résultats des élections. À la fin de la soirée, la victoire est assurée par une majorité de huit comtés: le premier ministre Lesage apparaît sous les flashes des photographes et sous les projecteurs de la télévision nationale. Au local des libéraux, rue Saint-Hubert, René Lévesque jubile. Il a gagné le comté de Laurier. Mais sa marge est si faible — à peine cent vingt-neuf voix — que le comptage durera encore deux semaines. Le 4 juillet, il sait qu'il ira à Québec, mais pas en tant que député de l'arrière-banc… il ne veut rien d'autre qu'être ministre.

Même s'il l'apprécie beaucoup, Jean Lesage n'aimerait pas avoir trop de René Lévesque sous sa coupe. Le député de Laurier est indomptable. Dès les premiers jours, il a confié à son chef: «Je ne veux pas du ministère des p'tits vieux!» Un trait sur le ministère du Bien-Être social, qui échoit à un autre. Lesage lui réserve donc les ministères des Ressources hydrauliques et des Travaux publics. Voilà des tâches qui lui plaisent. Au Salon rouge, au moment où il signe les documents protocolaires, Lévesque se dit qu'il pourra enfin réaliser les projets qui lui tiennent à cœur.

D'abord, donner un bon coup de balai dans les vieilles mentalités, le favoritisme à la petite semaine. Le ministre Lévesque exige que les appels d'offres pour la construction des ponts et des routes soient désormais obligatoires. Il impose ce qui semble de bon aloi. La petite politique lui faisant horreur, son nom devient aussitôt synonyme de respectabilité. Il a surtout la sagesse de s'entourer d'hommes et de femmes qui, loin d'être des valets, forment un clan dynamique.

Le premier dossier de René Lévesque a trait à la Noranda Mines. Pendant longtemps, le sous-sol québécois a été une richesse naturelle que les Américains ont exploitée grâce à la complaisance du premier ministre de l'Union nationale, Maurice Duplessis. Lévesque étale des chiffres : le gouvernement a gaspillé les profits de la province, les déficits s'accumulent. « C'est un scandale ! »

Qui plus est, au cours de voyages à Rouyn-Noranda, Lévesque découvre que les administrateurs de la mine sont tous unilingues anglais. Dans une de ces envolées à l'emporte-pièce dont il est passé maître, il parle des « Rhodésiens de la Noranda. » Du coup, il fustige l'intolérance et le mépris des dirigeants des grandes entreprises minières. Au Conseil des ministres, Lévesque propose que l'État s'implique dans la gestion des richesses naturelles du Québec. « Nous avons de jeunes ingénieurs qui sont partis d'ici faute d'emploi. Ils doivent revenir. » C'est dans cet esprit qu'au tournant des années soixante le gouvernement de Jean

Lesage crée plusieurs sociétés d'État dont les sigles deviendront des néologismes courants. Mentionnons entre autres la SOQUEM (Société québécoise d'exploitation minière) et la SGF (Société générale de financement), des institutions qui marquent la montée de l'État-providence, lequel sera un des traits dominants de la Révolution tranquille. Pour la génération des jeunes francophones, c'est d'abord la chance de trouver un emploi stable dans la fonction publique.

Mais il n'est jamais facile de présenter des idées nouvelles à un gouvernement libéral qui s'habitue au pouvoir; au fil du temps, Lévesque perd ses illusions et s'isole de ses confrères qui le trouvent envahissant. Il en veut trop. Il va trop vite. Son prochain combat risque de faire des vagues, pour ne pas dire des étincelles: la nationalisation de l'électricité.

— Dites-moi si c'est possible et combien ça peut nous coûter.

Dans sa maison de la rue Woodbury, Lévesque a remis un gros dossier à Jacques Parizeau, un économiste professeur à l'École des hautes études commerciales. Ce dernier aurait aimé avoir plus de temps pour analyser en détail le document.

— À première vue, nationaliser les compagnies d'électricité, ça m'apparaît faisable…

Le livre bleu, c'est un plan de développement et de distribution d'un réseau hydraulique qui pourrait bien devenir le fleuron de l'économie québécoise. Lors d'un récent caucus, Lévesque a tenté de vendre son projet: les ministres les plus méfiants n'ont pas caché leur désaccord. Quelle dette devra conclure le gouvernement pour acheter ce qui semble de prime abord un éléphant blanc ? Lévesque présente la nationalisation de l'électricité comme un fait accompli. Que veut-il au juste ? Que le gouvernement achète les diverses sociétés privées pour faire en sorte que Hydro-Québec, en activité depuis les années quarante, devienne l'unique productrice et distributrice d'électricité ! Lévesque marche seul et plusieurs lui en veulent.

— Le Québec est millionnaire, dit-il en allumant une autre cigarette, mais il ne retire de sa richesse qu'une participation de gueux.

Selon Parizeau, le coût d'une telle entreprise s'élève à plus de cinq cents millions de dollars, soit le tiers du budget du gouvernement ! Il faut trouver l'argent. Et l'argent qu'il faut se trouve aux États-Unis. Qu'à cela ne tienne, New York n'est qu'à environ deux heures de Montréal.

À cinquante kilomètres de Québec, le lac à l'Épaule est un havre au creux du parc des Laurentides. C'est là qu'au début de septembre Jean Lesage réunit son cabinet pour deux jours de réflexion. Ça va brasser. Lévesque prend la route en se disant qu'il joue le tout pour le tout. Un dernier mot à sa secrétaire : préparez mes affaires ! Si jamais ça tourne mal, il est prêt à vider son bureau.

Première journée, l'atmosphère est conviviale ; Jean Lesage, déjà au bar, accueille chaleureusement ses ministres. Le véritable affrontement aura lieu le lendemain après-midi. Tous savent qu'il sera question de la nationalisation de l'électricité. Avec à peine deux ou trois alliés, Lévesque, s'il veut faire passer son projet, doit convaincre les tièdes, ceux qui n'osent pas prendre parti, les béni-oui-oui qui penchent du côté du chef.

On veut des chiffres ! Lévesque en donne sans hésitation, car il maîtrise parfaitement son dossier. Pour fusionner les onze compagnies privées qui gèrent le patrimoine hydroélectrique du Québec, dit-il, le marché américain est prêt à fournir trois cents millions, soit la moitié du coût. On étouffe des cris de stupéfaction. La transaction financière semble démesurée. Des voix s'élèvent contre l'enthousiasme de Lévesque. George Marler l'attaque directement, il en veut à son attitude de diva, à ses idées socialistes. Les coups volent bas.

— Nous allons droit vers la faillite... et puis, qu'avons-nous à reprocher aux dirigeants de la Shawinigan Power ?

Durant tout le débat, assis au bout de la table, le premier ministre Lesage ne dit pas un mot. Puis, jetant un regard complice à Georges-Émile Lapalme, il lance :

— Que dirais-tu d'une élection immédiate ?...

Combiner une élection avec le projet de nationalisation de l'électricité, quelle audace ! Le gouvernement libéral se présenterait donc devant la population après seulement deux ans au pouvoir, avant même la fin de son mandat ! René Lévesque, qui n'avait pas songé à cette possibilité, est ravi. Cette fois, il fera campagne avec un vrai projet à défendre. Voilà un défi à sa mesure.

Lesage ne laisse pas ses ministres revenir de leur surprise et ajoute :

— Je pense à la date du 14 novembre.

Les libéraux ont trois mois pour remporter une victoire, pour montrer que l'accession au pouvoir de leur parti en 1960 n'était pas un simple accident.

⁂

À l'annonce du déclenchement des élections, René Lévesque part sur les routes du Québec. Les comtés ruraux étant les bastions de l'Union nationale, il ne néglige aucune région. Apportant avec lui un film qui recrée l'époque de *Point de mire*, le ministre des Richesses naturelles fait revivre la période où il était une vedette de la télévision. Son succès est immédiat quand il répète : « Il est inconcevable que 95 % de la population du Québec ne contrôle que 10 % de son économie. » Son nationalisme est instinctif. Prendre possession des ressources hydrauliques est le premier acte qui mène à l'affranchissement politique.

Avec leur slogan, *Maintenant ou jamais : Maîtres chez nous*, les libéraux sont réélus le 14 novembre 1962. La campagne de Jean Lesage fut un succès avec un parcours presque sans faute. Trois jours seulement avant le scrutin, Lesage a écrasé son rival Daniel Johnson à l'occasion d'un premier débat télévisé. À l'exemple de John Kennedy qui avait fait un sort à Richard Nixon à la CBS en 1960, le chef du Parti libéral a été flamboyant sur les ondes de Radio-Canada. Désormais, la télévision s'avère le média sur lequel il faut miser pour remporter une victoire. Pour René Lévesque, il s'agit tout simplement d'un autre moyen de communication dont il manie sans difficulté les rouages.

Le deuxième mandat des libéraux s'ouvre sur l'espoir de changements après deux années au pouvoir, la Révolution tranquille se poursuit par la création de nouveaux ministères, tel celui de l'Éducation. D'autres lois consolident la montée des francophones. Mais, étouffée, une génération se met à l'heure des revendications. Quoi ?... Majoritaires au Québec, les francophones ne peuvent supporter davantage le mépris de leur culture. À la suite du rapport de la commission Laurendeau-Dunton sur le bilinguisme et le biculturalisme, une nouvelle classe sociale dénonce les injustices et réclame des emplois à des postes décisionnels.

Pour la première fois depuis l'insurrection des Patriotes en 1837, la stabilité du pays est menacée et la violence devient un outil pour faire valoir des idées, pour provoquer des changements. Dans cette atmosphère survoltée, des bombes sautent à Westmount. En 1963, le Front de libération du Québec entre dans l'histoire ; le FLQ signe de trois consonnes cette nouvelle page.

Jusqu'au milieu des années soixante, René Lévesque ne s'intéresse presque pas aux questions constitutionnelles. À un quotidien anglophone qui l'interroge, il affirme cependant que le Canada est formé de deux nations et non de dix provinces. Celui qui se décrit comme « un indigène » quand il quitte le Québec reste convaincu que la confédération canadienne permet l'émancipation des Québécois. Il s'oppose à ceux qui s'apprêtent à fonder le Rassemblement pour l'indépendance nationale. Tête de bélier en guise de logo, le RIN est un parti politique qui prône ouvertement l'indépendance du Québec et qui compte présenter des candidats à la prochaine élection.

René Lévesque, lui, continue d'œuvrer au sein du Parti libéral. Mais le cœur n'y est plus. Depuis la nationalisation de l'électricité, son enthousiasme s'est émoussé, il a l'impression de tourner en rond. Ce deuxième mandat s'annonce plus difficile que prévu. L'équipe du tonnerre a perdu son souffle. Des rivalités personnelles surgissent. Lévesque est souvent pris à parti, car son statut de vedette agace. Jean Lesage, devinant que le député de Laurier pense à démissionner, remanie son cabinet en octobre 1965 et nomme Lévesque au ministère de la Famille et du Bien-Être social. Fini l'économique, désormais le mouton noir devra s'intéresser aux problèmes sociaux. Et ils sont nombreux. À cette époque, les dossiers du ministère font état des mères nécessiteuses et des crèches pour les enfants abandonnés, tout un vocabulaire qui évoque une mentalité poussiéreuse, un temps où le clergé assurait l'aumône et la bienfaisance aux pauvres.

— Il faut éliminer la charité privée, annonce le nouveau venu.

Avec ses réformes contre l'exclusion des marginaux et contre la sous-scolarisation, René Lévesque voit d'un autre œil le ministère qu'il désignait autrefois comme celui des «p'tits vieux». Il découvre surtout l'ampleur de la misère sociale qui persiste au Québec malgré le grand balayage qu'avait prédit son gouvernement. Avec Eric Kierans à la Santé, Lévesque forme un tandem aux exigences économiques grandissantes : augmenter les allocations mensuelles aux familles dans le besoin, promettre un régime d'assurance-santé gratuit pour les indigents. Les autres ministres fulminent. En conflit avec Ottawa en ce qui a trait au régime fédéral des pensions, Lévesque provoque des tiraillements. Ses collègues l'accusent d'être un nationaliste, mais son entêtement porte fruit. Québec finira par établir son propre régime de rentes et lancer la Caisse de dépôt et placement. Entre-temps, Jean Lesage, inquiet du climat au sein de ses troupes, n'a plus qu'une décision à prendre, déclencher des élections. Elles auront lieu le 5 juin 1966.

— Je venais juste de poser le pied aux Bermudes, quand je reçois un télégramme : c'était Lesage qui me demandait d'aller le voir en Floride. Pour m'annoncer qu'on repartait en campagne électorale !

Fâché de n'avoir pu mener à terme toutes les réformes sociales qu'il avait promises, Lévesque est sans illusion quant à l'issue de cette consultation publique. L'arrivée de Daniel Johnson à la tête de l'Union nationale a changé l'échiquier politique du Québec : avec son livre *Égalité ou indépendance*, publié en 1965, le nouveau chef des bleus oblige les libéraux à redéfinir leur position constitutionnelle, ce qui les force à se rapprocher d'Ottawa. Rien pour séduire Lévesque. De toute façon, il n'a plus le feu sacré ; le Parti libéral n'a été pour lui qu'un moyen pour faire avancer des idées progressistes. Amer, bougon, il fait campagne dans son comté de Laurier, qui lui est acquis sans trop de difficulté. Dans la soirée du 5 juin, les résultats tombent : les libéraux sont battus, même si le pourcentage des votes est supérieur à celui de l'Union nationale, portée au pouvoir.

Dans l'opposition ! Lévesque n'arrive pas à s'imaginer en train de critiquer les ministres de Daniel Johnson. Peut-il se contenter de demi-mesures après avoir connu l'exaltation du pouvoir ?

Archives nationales du Canada, PA-180408. Photo : Horst Ehricht.

Octobre 1970 : déclaration de la Loi sur les mesures de guerre ; l'armée est à Montréal.

7

Franchir le mur de la peur

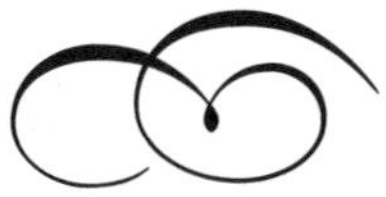

La défaite aux élections provinciales fait mal aux libéraux ; le ressentiment couve. On cherche des coupables. À l'écart, René Lévesque organise des journées de réflexion. Il veut savoir ce que ses amis pensent de l'indépendance du Québec. Deux partis politiques, le Rassemblement pour l'indépendance nationale et le Ralliement national, ont recueilli près de 10 % des votes en juin 1966. Peut-on ignorer plus longtemps ce phénomène que soutiennent en majorité les plus jeunes ? Jean Marchand, Gérard Pelletier et Pierre Elliott Trudeau, les trois colombes, ont beau vouloir imposer la présence des francophones aux Communes d'Ottawa, la grogne monte contre le régime fédéral.

Dans le cendrier rempli de mégots, Lévesque écrase férocement un autre bout de cigarette. Est-il intéressé à passer du côté fédéral ? Non, répond-il à ses amis de la gang du club Saint-Denis :

— Quand j'étais journaliste, j'ai parcouru le pays de l'Atlantique au Pacifique ; je connais trop le Canada, je ne m'y suis jamais senti chez moi.

Insatisfait du travail des libéraux à Québec, jugeant inutile le combat à Ottawa, que veut-il ? Un événement va donner un coup de barre à sa réflexion : juillet 1967, le général de Gaulle lance du haut de l'hôtel de ville de Montréal un « Vive le Québec libre ! » tonitruant et dérangeant.

— Quand je suis descendu dans la rue pour aller prendre mon auto, racontera-t-il plus tard, j'ai vu des gens qui criaient *Oui ! Oui ! L'indépendance, De Gaulle l'a dit !* Je me suis dit, c'est pas quelqu'un d'autre qui viendra nous dire quoi faire. Si on veut l'indépendance du Québec, c'est nous autres qui allons la faire.

Il est temps d'agir, pense-t-il. Prévu pour dans trois mois, le prochain congrès libéral sera déterminant.

ꝏ

Après la parution dans *Le Devoir* du manifeste *Pour un Québec souverain dans une nouvelle union canadienne*, René Lévesque est perçu comme un cryptoséparatiste. Au Château Frontenac, une fronde s'organise contre lui. De toute évidence, Jean Lesage, qui n'a jamais caché son soutien indéfectible au fédéralisme, en fait partie. Le premier jour du congrès, les délégués s'entendent sur la majorité des points du programme libéral. Quand la question constitutionnelle vient sur le tapis, les discussions tournent au vinaigre. Le vendredi 13 octobre, tandis que les militants prennent place dans la grande salle de l'hôtel, René Lévesque apprend qu'on vient de changer les procédures. Pour les résolutions qui touchent le statut du Québec, le vote se fera à main levée et non par bulletin secret. Les militants auront-ils le courage de suivre celui qui va proposer à l'ensemble des libéraux le virage auquel s'est rallié son comté le 18 septembre ? Ce jour-là, René Lévesque propose de voter pour la souveraineté du Québec au sein d'une association économique avec le Canada. Il affirme : cette aventure est notre chance de sortir de cette « maison de fous » que représente la confédération canadienne. Mais il n'est pas naïf. Autour de lui, l'hostilité monte. Le « député de Laurier », comme on l'appelle à présent, a perdu son lustre.

Il est le loup dans la bergerie.

Lévesque et sa vingtaine de partisans écoutent le discours de Jean Lesage. Le ton est grandiloquent, les mots sonnent comme des anathèmes contre « ceux qui veulent nous isoler sur une île déserte, car avec eux nous risquerions d'être coupés du reste du monde, sans communications avec la terre ».

Lévesque n'en peut plus. Il se lève et s'en va sous les murmures de la salle. Plus de doute, on veut qu'il parte. Ses adversaires complotent contre lui, font croire que cet exalté serait moins dangereux à l'extérieur du parti. D'anciens amis, qui sont ministres à Ottawa, ont élaboré un plan à ce sujet, mais Lévesque ne prête pas attention à ces rumeurs. Il reviendra le lendemain après-midi. Pour gagner.

Le samedi 14 octobre, la salle est bondée. Des délégués qui voient entrer le député de Laurier lui crient : « Lévesque dehors ! Lévesque dehors ! » Quand il prend le micro, les militants sont divisés, il semble que la majorité ne veuille pas le suivre. Lévesque utilise des métaphores, il tente de faire comprendre qu'il ne veut pas détruire le pays. Il faut franchir le mur de la peur. Il parle de « deux maisons semi-détachées ». Il lance les mots « indépendance » et « interdépendance ». C'en est trop ! Pendant quatre heures, les débats ne ménagent pas les sensibilités. Les attaques *ad hominem* fusent. Il est presque dix-huit heures quand Lévesque demande un dernier droit de réplique. Il a jeté l'éponge : sa démission ne faisait plus de doute. Il la confirme par un regret :

— C'est pas facile de quitter un parti quand on y a milité pendant sept ans...

Autour de lui, on se lève, on applaudit son courage. René Lévesque quitte la salle sous les bravos de ses partisans. Les autres le conspuent.

Désormais, c'est pour la souveraineté du Québec qu'il se battra.

Quittant le Parti libéral, René Lévesque n'a pas l'intention de lâcher prise. À la mi-novembre, à Montréal, quatre cents délégués ébauchent le programme d'un mouvement qui réunirait les forces souverainistes. Quel nom choisir ? Parmi dix-neuf appellations, on vote pour le Mouvement souveraineté-association. Lévesque est perplexe, il aurait préféré le Parti souverainiste. Le MSA n'est qu'un jalon ; il faudra tenir au plus vite un véritable congrès de fondation si l'on veut être pris au sérieux. Entre-temps, le député de Laurier poursuit sa croisade : le 17 janvier 1968, il lance *Option-Québec* au restaurant Prince-Charles. Cinquante mille exemplaires sont vendus en quelques semaines. En avril, à l'aréna Maurice-Richard, l'assemblée générale se solde par un demi-succès : les discussions oiseuses empêchent de transformer le MSA en parti politique. Dès le début, radicaux et modérés s'affrontent. Les plus vifs échanges concernent le droit des anglophones. Lévesque devine qu'une des tâches les plus difficiles consistera à réconcilier les deux courants antagonistes. Pendant ce temps, la pression politique s'accentue au fédéral. À la fin du congrès, un ami le prend à part :

— Avez-vous vu ce qui se passe à Ottawa ?

— Ça ne m'inquiète pas, répond-il avec juste assez de sérieux et de gravité pour laisser supposer qu'il s'inquiète tout de même un peu.

Le 20 avril 1968, alors même que les militants souverainistes jouent leur avenir, Pierre Elliott Trudeau succède à Lester B. Pearson à la tête du Parti libéral du Canada. Trudeau-Lévesque, les frères ennemis, portant chacun leur rêve national respectif. Pendant vingt ans, leurs chemins se croiseront. Mais à présent, l'arrivée de Trudeau à Ottawa et le déclenchement d'élections fédérales à la fin de juin bousculent la feuille de route de René Lévesque qui doit en plus faire échec à l'aile radicale de son parti, laquelle lui préfère le riniste Pierre

Bourgault. Le temps presse, seul un événement fortuit pourrait jouer en faveur de Lévesque.

Le 24 juin 1968, Pierre Elliott Trudeau a accepté d'assister aux fêtes de la Saint-Jean-Baptiste. « Vous devriez renoncer, lui a-t-on dit, les séparatistes n'attendent que ce moment pour vous attaquer. Et c'est dangereux pour votre sécurité. » Mais le chef du Parti libéral fait fi de tous ces conseils. À la veille de son élection à la tête du Canada, n'est-ce pas une belle occasion de montrer au reste du pays qu'il ne craint pas les indépendantistes ?

Parmi l'aréopage de personnalités qui ont pris place sur l'estrade d'honneur devant la Bibliothèque municipale, Pierre Trudeau se penche pour voir le défilé qui avance rue Sherbrooke. Les chars allégoriques suivent les corps de clairons. Mais peu à peu la tension monte. Que se passe-t-il ? Des cris viennent du parc La Fontaine. Les policiers attendent le signal pour foncer sur la foule. Un projectile est lancé. L'affrontement est inévitable. Des invités se lèvent et tentent désespérément d'amener de force Pierre Trudeau, qui les en empêche. Il revient s'asseoir. Le défilé de la Saint-Jean-Baptiste tourne à la foire : entre les majorettes qui fuient, les familles qui courent dans tous les sens, les policiers, matraques à la main, saisissent une centaine de manifestants. Parmi les fautifs que l'on jette brutalement dans les paniers à salade, il y a Pierre Bourgault, le chef du Rassemblement pour l'indépendance nationale.

— Cette violence était inutile… elle aura simplement servi à faire élire Pierre Elliott Trudeau premier ministre du Canada, et ce, par une majorité écrasante, commente René Lévesque dans les jours qui suivent.

Que le RIN ait un parfum de scandale n'est pas pour le réjouir, car ce qu'il souhaite depuis toujours, c'est fusionner les forces indépendantistes. Si le ménage à trois (RIN, RN et MSA) semble à première vue boiteux, Lévesque consent aux compromis pour célébrer le mariage : « Avec Gilles Grégoire du Ralliement national, je n'ai pas de problème, mais avec Pierre Bourgault… » Il cherche surtout à se démarquer nettement de tous ces impatients qui veulent faire l'indépendance du Québec à n'importe quel prix. Le chef du RIN piégé dans cette folle journée du 24 juin, Lévesque peut dorénavant se présenter comme le seul chef des forces souverainistes.

Le 14 octobre 1968, au Petit Colisée de Québec, un millier de délégués adoptent le programme d'un nouveau parti politique qui s'appellera le Parti québécois, un nom qu'a proposé Gilles Grégoire et qui déplaît à René Lévesque. En revanche, le logo fait l'unanimité. Dessiné par le peintre et poète Roland Giguère, ce cercle bleu, que fend jusqu'au cœur une pointe rouge, symbolise l'unité nationale.

Porté jusqu'à l'estrade par des dizaines de militants, René Lévesque, que l'on donnait perdant à peine un an plus tôt, est à l'aube d'une nouvelle carrière politique. Tout va bien et il est amoureux. À Corinne Côté, il écrit : « J'espère que ce n'est pas tout à fait idiot… mais j'aurais à la fois faim et le goût féroce (mais très respectueux) de vous voir. »

Touchant de tendresse, son cœur ne lui appartient plus.

Société en transition, le Québec de l'époque est assoupi sur un volcan qui couve. La crise linguistique va l'éveiller. En septembre, à Saint-Léonard, un quartier du nord de Montréal, des parents francophones dénoncent l'intégration massive des immigrants à l'école anglaise. Les manifestations se multiplient et les mécontents descendent dans la rue. Ils accusent de mollesse le gouvernement de l'Union nationale. Depuis la mort de Daniel Johnson, la veille de l'inauguration du barrage de la Manic, en septembre 1968, les bleus sont sur leur déclin. Jean-Jacques Bertrand n'a pas le lustre de son prédécesseur. Les lois linguistiques que présente son ministre de l'Éducation ont tôt fait de jeter de l'huile sur le feu. Le 23 octobre 1969, un projet final est présenté devant les députés de l'Assemblée nationale : le projet de loi 63, dont l'article 2 assure le libre choix de la langue d'enseignement pour les parents, donne à l'anglais un statut juridique à l'égal du français. Des voix s'élèvent. C'est une loi honteuse ! Des groupes d'opposition se forment hors des murs du parlement en brandissant la menace de l'assimilation. D'abord sympathique au gouvernement qui a, selon lui, le courage de s'attaquer de front au problème, René Lévesque, député indépendant depuis qu'il a quitté les rangs des libéraux, se distancie peu à peu du discours de l'Union nationale. Pour tout dire, ce conflit le prend de court. Il est clair cependant qu'il ne s'alliera pas aux radicaux. Il tient à souligner que le Parti québécois n'a pas été fondé contre les anglophones. Derrière cette prise de position, son désir de devenir un jour le chef de tous les Québécois se précise.

Dans ce contexte agité, Lévesque réussit un coup de maître en recrutant Jacques Parizeau qui se joint au PQ en 1969. Professeur à l'École des hautes études commerciales, cet économiste va définitivement influencer l'idéologie péquiste. Plus à gauche que Lévesque, il impose le paradoxe de la respectabilité et de l'audace. Par suite de ses conseils, le député Lévesque en arrive à dénoncer en Chambre la «fabrication intellectuellement malhonnête» du projet de loi 63. À présent, il suggère de limiter le droit des anglophones à leur poids numérique, ce qui éviterait aux immigrants d'inscrire leurs enfants dans des écoles anglaises. Mais pour lui, plus de doute, seule la souveraineté du Québec réglera la question linguistique.

Aux prochaines élections provinciales, que peut-il espérer? Les sondages montrent que 30 % des francophones appuieraient son parti. Le PQ est peut-être sur sa lancée, mais l'arrivée d'un nouveau chef à la tête des libéraux est en train de transformer le tableau politique. Comme au black jack, le hasard joue souvent de mauvais tours…

Économiste à l'allure sévère, aux lunettes sombres, aux cheveux bien coiffés, Robert Bourassa est l'homme qu'il faut. En 1970, le Québec parle d'emplois. Le jeune diplômé de Harvard en promet cent mille. Le 29 avril, l'électorat a bien reçu son message : à la tête de soixante-douze députés libéraux, c'est lui qui formera le nouveau gouvernement. Heureux d'avoir fait élire pour la première fois de l'histoire du Québec sept députés qui défendront l'option de la souveraineté, les péquistes sont déçus des résultats : cette quatrième position des sièges ne reflète pas les 23 % de votes. L'Union nationale, moins plébiscitée, a pourtant fait élire dix-sept députés et forme l'opposition officielle. Au centre Paul-Sauvé, René Lévesque, qui a perdu dans son propre comté de Laurier, monte sur l'estrade.

— Vous ne trouvez pas que cette défaite a des allures de victoire ?

Les militants sont soulevés d'enthousiasme. Il leur faudra travailler dur pour atteindre leur but, mais l'espoir est là. Après tout, quatre années à attendre son tour, c'est bien peu dans la vie d'un parti politique né seulement une vingtaine de mois plus tôt.

Le 5 octobre 1970, l'Agence France-Presse lance la dépêche suivante : à huit heures trente ce matin-là, le haut-commissaire britannique au commerce, James Richard Cross, a été enlevé par deux hommes cagoulés qui se réclament du Front de libération du Québec. Ce qui survenait ailleurs dans le monde, en Bolivie, en Argentine, arrive ici, à Westmount, dans un quartier cossu de Montréal. Les trois consonnes du FLQ évoquent les années soixante, le souvenir de bombes éventrant des boîtes aux lettres. Aujourd'hui, elles annoncent l'une des pires crises que le pays ait jamais connu. René Lévesque condamne aussitôt le kidnapping de James Richard Cross. Ce qu'il craint, c'est l'amalgame sournois que feront ses adversaires du FLQ et du PQ. En effet, si sous les deux sigles se cache un même but à atteindre, les voies que chacun propose pour obtenir l'indépendance diffèrent totalement. « J'ai toujours rejeté la violence dont la seule issue mène inévitablement à la répression », rappelle René Lévesque à un point de presse. Accordant son appui au premier ministre du Québec, il suggère la négociation. Il restera fidèle à cette solution tout au long de la crise d'Octobre.

Élu depuis à peine six mois, le gouvernement de Robert Bourassa est démuni. La chasse aux communiqués commence pour démasquer les ravisseurs. Les journalistes vident les poubelles, hantent les halls et parcourent les couloirs des édifices du centre-ville pour trouver les messages du FLQ. Les premiers jours ressemblent à un vaudeville. Que veulent les felquistes ? La libération de prisonniers politiques, un sauf-conduit, de l'argent et la lecture d'un manifeste. À Ottawa, le premier ministre, Pierre Elliott Trudeau, forme une cellule de crise. On discute ferme, on tergiverse. Doit-on céder aux demandes des kidnappeurs ? Et si on acceptait la dernière demande ? De prime abord, la lecture d'un pamphlet semble pour le moins inoffensive.

Le jeudi 8 octobre, à vingt-deux heures trente, le manifeste du FLQ est lu sur les ondes de Radio-Canada. En quinze minutes, le texte — charge au vitriol et caricature outrée — s'en prend aux autorités politiques du pays et revendique des changements socio-économiques. Le passage dans lequel la cellule Libération écrit: « Nous avons cru un moment qu'il valait la peine de canaliser nos énergies, nos impatiences, comme le dit René Lévesque, dans le Parti québécois... » pique au vif le chef de ce dernier. Interpellé directement par cet extrait, il répond aux journalistes qu'il serait insidieux de confondre son parti avec des révoltés qui prônent l'agitation. Pour mettre fin aux ragots, il signe dans le *Journal de Montréal*, où il a été embauché après sa défaite du mois d'avril 1970, un acte de foi en la démocratie.

La lecture du manifeste du FLQ exacerbe le conflit qui, loin de se résorber, prend alors un virage inattendu. À l'écart de l'Assemblée nationale, où il ne siège pas, Lévesque craint surtout que le gouvernement du Québec soit réduit à demander à Ottawa de régler cette crise.

James Richard Cross a été enlevé cinq jours plus tôt. Il vit reclus, on ne sait où. Les efforts pour le retrouver semblent vains malgré la course aux communiqués du FLQ sur lesquels la silhouette d'un patriote de 1837 apparaît. Le week-end s'annonce pénible, avec des revirements dignes d'un polar. Le vendredi 8 octobre, René Lévesque se rend au lac Achigan pour passer deux jours de repos chez son ami Marc Brière. Après une partie de tennis, il rentre au chalet. À la télévision, le ministre de la Justice lit un texte. On monte le son de l'appareil, on croit vivre un cauchemar! Jérôme Choquette annonce officiellement la nouvelle : Pierre Laporte, le ministre du Travail et de l'Immigration, qui se trouvait devant sa résidence familiale à Saint-Lambert, vient d'être enlevé par des hommes masqués et armés de mitraillettes. Au gouvernement, c'est la stupeur. Jusqu'où nous mènera cette crise ? Pour Lévesque, le drame a des échos personnels.

— J'ai connu Laporte du temps où nous étions tous deux au Parti libéral, avec Lesage…

Aujourd'hui, plus que jamais, il se sent près de l'ancien collègue dont la vie est en danger.

Chef d'un parti d'opposition, non élu à l'Assemblée nationale, Lévesque considère qu'il ne doit pas s'ingérer dans cette crise. Pas de provocation ni de reproches. Il regarde aller le gouvernement de Robert Bourassa en se disant qu'il interviendra seulement si on lui demande conseil.

Le premier signe de vie que donne Laporte est une lettre déchirante qui fait la une des éditions spéciales des journaux. L'écriture est hésitante, la main tremble de peur : « Dimanche, 3 h p.m. J'ai l'impression d'écrire la lettre la plus importante de ma vie… »

En sept points, le ministre insiste pour que la police cesse ses recherches. Il supplie celui qu'il nomme *Monsieur Robert Bourassa, Mon cher Robert*. Puis, au dernier paragraphe, cet appel déchirant : « Décide de ma vie ou de ma mort, je compte sur toi et t'en remercie. »

Une heure plus tard, le premier ministre refuse de céder au chantage et répond que « Gouverner, c'est choisir ». Désormais, Robert Bourassa devra vivre avec le choix qu'il fait de plein gré.

Pendant des jours, le gouvernement est aux abois ; le dialogue de sourds entre les autorités et les felquistes est un mauvais présage. La veille de l'Action de grâce, le directeur du *Devoir*, Claude Ryan, reçoit un appel. C'est René Lévesque. Les deux hommes ont rarement partagé les mêmes opinions, mais le chef du Parti québécois apprécie à ce moment le ton modéré des éditoriaux du journal.

— J'ai entendu dire qu'il se prépare quelque chose de grave... il faut convoquer des gens qui pensent comme nous et qui ont un certain poids décisionnel. Je vous propose d'organiser un front commun pour encourager Bourassa à négocier et surtout pour éviter que le fédéral se mêle de cette histoire.

En moins de vingt-quatre heures, seize leaders d'opinion se réunissent à l'hôtel Holiday Inn de Montréal. De son côté, Lévesque se retire seul dans une chambre. En moins d'une heure, il rédige un texte que tous devront approuver. À la conférence de presse, René Lévesque réaffirme l'appui sans équivoque au gouvernement libéral. La déclaration des signataires se résume en quatre points : la vie des deux otages passe avant toute autre considération ; il faut négocier leur échange contre les prisonniers politiques ; le FLQ ne représente qu'une minorité de révolutionnaires ; il faut que le gouvernement du Québec trouve seul une solution à cette crise.

Les événements se précipitent. L'idée selon laquelle le groupe qu'a formé Lévesque veut instaurer un gouvernement parallèle fait son chemin. À l'hôtel

Reine-Élisabeth, le premier ministre Bourassa doit prendre une décision au plus tôt. Chaque minute d'hésitation marque un recul, affaiblit son image. Le 15 octobre, il convoque en catastrophe l'Assemblée nationale, non pour régler la crise, mais pour faire voter une loi antigrève contre les médecins spécialistes ! Car, entre-temps, le climat social s'est détérioré.

Il faut agir.

Dans la nuit, le premier ministre Trudeau décrète la Loi sur les mesures de guerre. Entrée en vigueur pendant la guerre de 1914, cette loi suspend l'*habeas corpus* et abolit les libertés civiles. Au moindre soupçon, chacun peut être déclaré coupable de terrorisme ou de vouloir renverser le gouvernement. À quatre heures du matin, les soldats entrent dans la métropole pour assurer la sécurité publique. Les arrestations et les perquisitions commencent.

Pour Lévesque, «les loups sont lâchés». La métaphore stigmatise un pays en désarroi. «Québec n'a plus de gouvernement», écrit-il dans le *Journal de Montréal.* Le 16 octobre, il remet son texte dans lequel il implore le gouvernement de négocier pour sauver la vie des deux otages. Il ne sait pas si James Richard Cross est vivant. Il ne sait pas ce qui est arrivé à Pierre Laporte.

À la station de radio montréalaise CKAC, c'est le troisième appel téléphonique anonyme de la journée. Doit-on le prendre au sérieux ? La voix insiste : «Vous trouverez un communiqué dans le hall d'entrée de la salle Port-Royal de la Place-des-Arts… » Les indications sont précises. Un chemin à suivre, direction l'aéroport de Saint-Hubert. À environ cent pieds de la clôture qui entoure un atelier d'avions militaires, une voiture est stationnée. C'est celle qui a servi à l'enlèvement de Pierre Laporte. Il est vingt-trois heures trente. Des spécialistes de l'armée canadienne ouvrent sans difficulté le coffre arrière de la Chevrolet verte : le corps recroquevillé du ministre est enveloppé d'une couverture, sa tête repose sur un oreiller, ses poignets sont ensanglantés. L'homme a été assassiné.

À la permanence du Parti québécois, rue Christophe-Colomb, René Lévesque ne cache pas ses émotions. Il pleure. Quarante-huit ans... Pierre Laporte avait le même âge que lui. Des souvenirs refont surface, comme des épaves d'instants de bonheur du temps où tous deux étaient au Parti libéral au début des années soixante. Cela fait si longtemps.

Et comme chaque fois, les rares fois, qu'il ouvre les vannes de l'émotion, il lui revient une chanson et la voix de Léo Ferré, sur le poème de Rutebeuf : *Que sont mes amis devenus... ce sont amis que vent emporte*... Quand il retourne à son appartement de l'avenue des Pins, il presse le pas. En traversant un parc sombre, il se surprend à avoir peur.

Où se trouve James Richard Cross ? Est-il toujours vivant ? Comme si la mort de Pierre Laporte avait marqué le dénouement attendu de cette tragédie, les événements de la crise d'Octobre ne font plus la une des médias. Malgré les perquisitions des forces de l'ordre qui se poursuivent sans arrêt depuis la promulgation de la Loi sur les mesures de guerre, les coupables sont toujours en cavale. La vie suit son cours.

Chroniqueur au *Journal de Montréal*, Lévesque délaisse l'actualité de la crise pour s'en prendre plutôt à la politique du gouvernement Bourassa. Que font les libéraux pour les autoroutes, l'emploi et les logements? Véritable chef de l'opposition, il ordonne: «Admettez vos erreurs.»

Puis, comme dans un mauvais film à suspense, les rebondissements de la crise d'Octobre se multiplient. En décembre, les policiers dénouent les derniers fils de l'intrigue. À Saint-Hubert, ils découvrent la maison et la chambre dont les fenêtres ont été barricadées. C'est là que, durant sept jours, Pierre Laporte a espéré sa libération. L'arrestation des felquistes qui ont assassiné le ministre libéral ne tarde plus. Ils sont bientôt emprisonnés. Quant à James Richard Cross, on finit par le retrouver dans un appartement de Montréal-Nord. Ses ravisseurs, eux, acceptent un sauf-conduit pour Cuba.

La crise d'Octobre finit comme elle avait commencé: un brasier qui s'enflamme, l'espace d'un éclair, et qui laisse une brûlure en cicatrice.

Les événements de l'automne sont un dur coup pour le PQ. Au plus bas des sondages, René Lévesque doit remonter la côte, sinon l'aventure qu'il a amorcée trois ans plus tôt risque de n'avoir été qu'un intermède dans l'histoire politique du Québec.

Archives nationales du Canada, PA-115039. Photo : Duncan Cameron.

René Lévesque au centre Paul-Sauvé le 29 octobre 1973, soir des élections.

8

Les années vérité

La saignée. Craignant d'être fichés par la police, plusieurs militants ne renouvellent pas leur adhésion au PQ. Le départ de dix mille membres réduit les revenus des trois quarts. Les conséquences de la crise d'Octobre font mal. Pendant un temps, René Lévesque se demande s'il doit rester. S'il s'en allait, il donnerait raison aux fédéralistes. Et il n'a pas dit son dernier mot. L'annonce qu'il aura un adversaire à la direction du Parti québécois le fouette. Le prochain congrès national sera chaud.

En février 1971, un millier de délégués se réunissent au Patro Roc Amadour de Québec. À l'heure des bilans, on panse les plaies de l'après-Octobre. Le virage radical que prend le parti agace René Lévesque qui a du mal à accepter l'élection de Pierre Bourgault à l'exécutif. Pour le poste de chef du Parti québécois, André Larocque livre une bataille honnête — une minorité de délégués lui font confiance —, mais la lutte est sans suspense. Le chef du PQ est reconduit à la tête de son parti.

L'épreuve du congrès passée, d'autres obstacles surgissent. Vu qu'il ne siège pas à l'Assemblée nationale depuis sa défaite personnelle en avril, il a du mal à tenir la barre d'un navire qui tangue au gré des sautes d'humeur. Les sept députés qui ont été élus lui reprochent son attitude : « Vous nous laissez seuls à Québec ! Vous n'assistez jamais à nos réunions. » Mais qu'irait-il faire dans la capitale ? Lévesque n'a jamais été à l'aise dans l'opposition : seul le pouvoir l'intéresse. Après un court purgatoire, en 1972, son parti a un regain de vie avec l'adhésion de Claude Morin. Le sous-ministre des Affaires intergouvernementales depuis 1963 entre au PQ par la grande porte. Lévesque en fait vite une tête d'affiche. Il a confiance en lui. Il l'aime. « Parce qu'il est moins compliqué que Jacques Parizeau. » Et pour jouer aux cartes, Morin n'a pas son pareil.

— C'est une bonne idée !

Au début, il a hésité. Ce détour par un référendum ne va-t-il pas tuer dans l'œuf l'article premier du PQ qui consiste à faire la souveraineté du Québec ? En 1972, Lévesque est à l'écoute de Claude Morin qui lui assure qu'il faut établir une distinction entre l'accession du Parti québécois au pouvoir et l'accession du Québec à la souveraineté. Son scénario est réaliste :

— D'abord, on se fait élire. Puis, on fait un référendum pour demander à la population le droit d'aller négocier la souveraineté-association.

— Au prochain congrès national, répond Lévesque, c'est vous qui allez défendre votre résolution devant les membres. On verra bien ce qu'ils en pensent, eux.

Depuis la fondation du parti en 1968, toutes les assemblées péquistes donnent lieu à des affrontements entre les orthodoxes et les ultras. Cette fois, l'emprisonnement des trois chefs syndicaux par le gouvernement libéral envenime les discussions, creusant le fossé entre les radicaux et ceux qui préfèrent rester neutres.

— Les syndiqués sont nos alliés, proclament des délégués. Il faut voter en faveur de la libération des chefs des centrales syndicales et dénoncer le gouvernement libéral.

« Que ce congrès finisse au plus vite ! » pense Lévesque, piégé dans ce qui ressemble à un panier de crabes. Il déteste que l'aile gauche lui renvoie l'image d'un réactionnaire. Son autorité vacille quand on rejette l'idée du référendum en dépit de son appui public à la résolution de Claude Morin. En revanche, le départ de Pierre Bourgault de l'exécutif du parti lui paraît de bon augure. « Un de moins à surveiller ! » Car il se méfie de tout débordement qui nuirait à son image de rassembleur. Quand des militants lui parlent de fonder un parti politique qui prêcherait la souveraineté du Québec sur la scène fédérale, il tranche sans appel :

— Jamais!

Son terrain de bataille ne déborde pas les frontières. Pas question d'affronter les libéraux d'Ottawa qui, depuis Wilfrid Laurier, gagnent haut la main la majorité des comtés québécois.

— Vous avez vu Trudeau le 30 octobre? Sans le Québec, il aurait été défait. Il n'est pas question qu'on s'embarrasse d'une autre structure politique, nous avons d'ailleurs assez de difficultés comme ça...

ꝏ

Tenus dans l'opposition à l'Assemblée nationale, les péquistes ont la possibilité de se retrouver en famille dans les congrès. En février 1973, Lévesque prévient ses militants: tenez-vous prêts, il y aura prochainement des élections. Mais le Parti québécois est ballotté, il se cherche. Les critiques les plus acerbes viennent des sept députés qui font la navette entre Montréal et Québec. «Vous ne savez pas ce qu'est le travail parlementaire!» lui reprochent-ils. Lévesque ne pense même plus à prendre le pouvoir, il veut seulement éviter les divisions pour que le PQ forme un jour l'opposition officielle.

Fin septembre, au moment où commence la campagne électorale, les péquistes sont mal préparés. Obligés de resserrer les rangs, maladroits, ils n'ont pas assez de temps pour se ressaisir. Le 29 octobre, le Parti libéral fait un tabac: Robert Bourassa est reporté au pouvoir avec cent deux députés et près de 55% du vote populaire. Le phénomène du jeune économiste à l'allure d'éternel collégien fonctionne à son maximum.

Son image rassurante plaît aux Québécois. Les péquistes, eux, n'ont plus que six députés. Avec 7 % de l'électorat de plus, ils ont quand même perdu un siège à l'Assemblée nationale... quelle déception ! Emportant dans sa vague rouge les anciens partis politiques — l'Union nationale et le Parti créditiste —, le raz-de-marée libéral redessine le paysage politique. Au PQ, les plus optimistes se réjouissent d'être à présent l'opposition à Québec. Les choix sont plus clairs. Aux prochaines élections, la souveraineté deviendra une solution de rechange au *statu quo* constitutionnel. Pour cela, il faut mettre à l'épreuve sa patience quatre années encore.

Poussé par ce regain d'espoir, René Lévesque entre au centre Paul-Sauvé sous les applaudissements, les cris et les larmes. Pour la deuxième fois, il ne siégera pas à l'Assemblée ; c'est un libéral qui l'a battu dans Dorion. Le chef du Parti québécois monte sur la tribune. En 1970, il avait dit que la défaite ressemblait à une victoire. Le 29 octobre 1973, il parle d'une « victoire morale », autre formule qu'il a trouvée pour revigorer ses militants. Et c'est réussi. Une fois encore, il a rallié ses troupes. Dans l'adversité, René Lévesque a le talent de rallumer la flamme qui vacillait.

Mais les défaites qu'il accumule sont de plus en plus lourdes à porter. La prochaine élection sera l'épreuve ultime. « Il est possible que je parte avant », avoue-t-il à des journalistes.

C'est qu'il a envie de vivre, comme tout le monde. Ses économies sont à sec, sa séparation de sa femme lui coûte cher. N'étant plus député, il ne peut compter que sur sa chronique au *Journal de Montréal* pour survivre. Tout serait plus facile s'il décidait de retourner travailler dans les médias. N'a-t-il pas été vedette à la télévision avant de se lancer en politique ? Il cherche une porte de sortie ; ses amis auront du mal à le retenir. « C'est pourtant l'homme de la situation, se disent-ils, nous avons encore besoin de lui. Personne ne peut le remplacer présentement. »

Six députés péquistes, c'est peu pour former une opposition qui a des dents.

— On pourrait fonder notre propre journal !

L'aventure est exaltante. Le premier numéro du *Jour* paraît en février 1974. Après avoir écoulé trente mille copies dès les premiers mois, le beau bateau prend l'eau. René Lévesque flaire l'esprit soixante-huitard qui s'embourbe dans des revendications, qui dérape et qui sombre dans l'anarchie. L'autogestion d'un organe de presse lui semble une mauvaise pente. Et puis, il ne supporte plus de voir *Le Jour* s'opposer à ses idées. Rien de plus déplaisant pour un chef que d'avoir ses plus farouches adversaires au sein de son propre parti. *Le Jour* mord la main qui le nourrit. Pour Lévesque, c'en est trop.

À la fin du congrès de 1974, au cours duquel le projet d'un référendum pour l'accession à la souveraineté finit par passer, le Parti québécois a tous les atouts pour les prochaines élections. Rasséréné par les sondages qui montrent une progression du PQ chez les francophones, le chef ne veut plus d'entraves à cet envol. Se démarquant des dissensions qui surgissent au

Jour, Lévesque suggère ouvertement la fermeture du journal indépendantiste. Ce n'est qu'une question de mois, la chute des tirages signe la fin de ce projet né dans l'enthousiasme et l'espoir. La parenthèse est fermée. Une fois encore, il a réussi à mater les chahuteurs. Il les a mis au pas sans passer pour un tyran.

— Des gens qui se prétendent capables de diriger le Québec et qui ne sont même pas capables d'administrer un pauvre petit journal !

Avec un rire narquois, Robert Bourassa croit avoir marqué un bon point. Au micro de CKAC, il affronte René Lévesque, qui en a vu d'autres et qui riposte du tac au tac :

— Des gens incapables d'administrer le Club de Réforme et qui, par-dessus tout, viennent de le mettre en faillite… savez-vous qu'on peut trouver ça encore plus inquiétant ?

Touché ! La campagne électorale ne ménage pas les coups bas. Lévesque monte aux barricades, encouragé par les sondages qui lui accordent de bons points. De plus, la logique de l'alternance permet de croire à l'élection d'un premier parti politique qui prône la souveraineté du Québec. Les plus pessimistes retiennent la sagesse du proverbe qui dit qu'*il ne faut pas vendre la peau de l'ours avant de l'avoir tué*. Les libéraux n'ont-ils pas l'appui d'une vingtaine de comtés anglophones acquis d'avance ? Lévesque reste confiant. Dans les assemblées, il reçoit l'accueil d'un héros. Pour qu'il puisse enfin siéger à Québec, on lui a déniché le comté de Taillon sur la Rive-Sud. Pendant les trente jours de la campagne, les péquistes ont le vent dans les voiles. Sans tempête à l'horizon, ils filent vers ce qui semblait impossible à peine une dizaine d'années auparavant, au moment où René Lévesque, à la tête de quelques fidèles amis, avait quitté le Parti libéral pour fonder le Parti québécois.

Le 15 novembre, les Québécois attendent les résultats des bureaux de scrutin. Non, ce n'est pas une élection comme les autres. Il y a plus de nervosité, plus de folie dans l'air. À vingt heures vingt, à la télévision publique, gros plan sur l'animateur Bernard Derome :

— Si la tendance se maintient, Radio-Canada prévoit que…

L'espace d'une seconde, le silence, puis :

— … le prochain gouvernement sera dirigé par le Parti québécois.

Au centre Paul-Sauvé où les militants péquistes sont réunis, la joie est à son comble. On croit rêver. Trop beau pour être vrai. Sur un écran géant, les résultats arrivent un à un, les comtés qui s'additionnent, cinquante, soixante-six, le compte final grimpe à soixante et onze sièges et 41 % du vote populaire. On crie ! On voudrait que cette soirée dure à jamais, comme le bonheur. Sur scène, les animateurs invitent la foule à danser, à chanter. Les députés élus arrivent sur la tribune d'honneur. Et dans Taillon ? Que s'est-il passé ? On craint le pire. Mais non, cette fois, c'est bon ! René Lévesque est élu.

René Lévesque devient premier ministre du Québec.

À la fin de la soirée, sous les flashes des photographes, il arrive, cigarette au bec. Il se fraye un chemin parmi les partisans, des mains le touchent au passage. Embarrassé par cette effusion, l'orgie de lumière et de cris, il grimace, puis sourit. À la tribune, ses amis l'entourent pour pleurer dans ses bras. Il avance jusqu'au micro, la foule du centre Paul-Sauvé se tait. Ses mots, brisés par l'émotion, se gravent dans les mémoires. Ses phrases lui ressemblent. Lui seul peut les dire ainsi avec cet air détaché, éclatant malgré un brin de nonchalance :

— J'ai jamais pensé que je serais aussi fier d'être Québécois !... On n'est pas un petit peuple, on est peut-être quelque chose comme un grand peuple.

Les vivats et les chansons soulignent en apothéose ce 15 novembre 1976. Mais pour les souverainistes, le chemin est encore long avant de réaliser leur rêve.

Le gouvernement péquiste, qui se réclame d'un programme social-démocrate, entreprend de réaliser des réformes majeures en ce qui a trait à la culture, à l'économie et à la politique. Ses deux premières lois vont marquer son passage : la Charte de la langue française qui reconnaît aux francophones leur statut de majorité et la Loi sur le financement des partis politiques, qui met le Québec à l'avant-garde des démocraties occidentales. Si René Lévesque encourage ses ministres à présenter des projets audacieux, il n'oublie pas que la victoire du PQ tient à la moitié des suffrages exprimés. Prudence, conseille Lévesque. Étant l'un de ceux qui possèdent le plus d'expérience à la Chambre, il n'hésite pas à brider les prétentions hasardeuses des plus impatients.

Pendant ce temps, à chaque congrès, la grande messe familiale, des militants s'inquiètent :

— Et puis, ce référendum, quand allons-nous le faire ?

En octobre 1978, Lévesque annonce qu'il faut « réajuster le tir ». Les sondages lui étant carrément mauvais, il se demande si on ne doit pas considérer une troisième solution qui consisterait à abandonner l'idée de souveraineté-association pour exiger du fédéral le plus de pouvoirs politiques possible. Pour les indépendantistes à tout crin, quel recul !

Plus tard, au congrès de juin, le PQ prévoit tenir un référendum pour demander un mandat de négocier avec le Canada. On affirme que le gouvernement péquiste ne déclarera pas unilatéralement la souveraineté du Québec, que si jamais Ottawa refusait de s'asseoir avec le gouvernement péquiste, il faudrait alors refaire un autre référendum pour demander à l'électorat d'exercer sans partage les droits d'un État souverain. Un scandale ! s'exclament les radicaux. Mais cette approche prudente plaît à René Lévesque. En demandant peu, pense-t-il, nous avons des chances de récolter beaucoup.

Un mercredi matin, le cabinet péquiste est en réunion au *bunker*. À l'évidence, deux clans s'affrontent. Depuis que Robert Burns a claqué la porte du gouvernement, le climat ne fait que se détériorer. À un journaliste de la Presse canadienne, l'ancien ministre n'a-t-il pas déclaré qu'il était « convaincu que le Parti québécois perdra[it] le référendum et qu'il ne [voulait] pas être de ce moment-là » ? La douche froide. Lévesque est en colère. Il ne supporte pas qu'on lui fasse la leçon. Il n'est pas d'humeur à subir des menaces.

« Nous ne sommes pas assez opportunistes, pensent certains, il faut profiter du départ de Pierre Trudeau. Ça ne peut pas durer longtemps, le gouvernement conservateur est minoritaire. Avec Joe Clark comme premier ministre du Canada, nos chances sont meilleures. »

Lévesque se dit plutôt qu'il reste une année entière avant la fin du premier mandat péquiste. Une année, c'est assez pour gagner un référendum.

Le 19 décembre 1979, on commence la réunion au début de la matinée sans savoir quand elle se terminera. Le Conseil des ministres est au complet, c'est ce jour-là qu'on discute de la formulation de la question référendaire. Au bout de la table, Lévesque, arrivé en retard, s'assoit, allume une cigarette.

— On a deux embarras sur notre parcours : le pauvre Joe Clark qui vient d'être défait aux Communes sur un vote de confiance et ce Front commun qui risque de nous mettre des bâtons dans les roues.

Le chef conservateur parti, l'ombre de Trudeau se profile ; il est l'adversaire dont les péquistes n'avaient pas besoin. Quant à la fonction publique, il faut la ménager. En suspendant momentanément leur droit de grève et en obligeant les syndicats au vote secret de leurs membres, le gouvernement péquiste s'est mis à dos la majorité des syndiqués. Les souverainistes ont besoin de leur vote. Moment crucial, car ils jouent l'avenir de leur choix politique. Dans le *bunker*, chacun des ministres prend connaissance du canevas d'un type de question référendaire qu'on a préparé la veille. Les deux clans qui fracturent le Parti québécois n'ont jamais été aussi éloignés l'un de l'autre. Jacques Parizeau s'indigne : dans le préambule, on évoque la possibilité d'un deuxième référendum ! Jamais le congrès du parti n'avait entériné une telle proposition. Lévesque écoute. Il se souvient de Claude Morin qui lui avait suggéré cette alternative. « C'est une maudite bonne idée », avait-il alors songé. Demander au peuple le droit de négocier, puis revenir devant l'électorat pour lui soumettre le résultat de ces négociations, voilà un comportement démocratique. Mais le caucus est divisé : le livre blanc intitulé *La nouvelle entente Québec-Canada* ne prévoyait pas une telle démarche. Plusieurs ministres auraient préféré avoir le libellé de la question en bonne et due forme. « Il ne s'agit là que d'une ébauche, maugrée un dissident, nous n'arriverons jamais à nous entendre ! » Le climat est malsain. Le chef du PQ demande à chacun de présenter son idée. Autour de la table, ils sont une vingtaine : c'est la tour de Babel, la cacophonie des synonymes, des figures de style et des signes de ponctuation. Bourru, impatient — il se méfie de « l'acerbe aile intégriste » —, Lévesque prend des notes sur des bouts de papier.

Arrivera-t-on jamais à la formuler, cette question ?

Les plus hargneux en veulent à leur chef de les avoir tenus loin du processus de rédaction. La plupart se disent que cet exercice de stylistique ne sert à rien. Les jeux sont faits. En soirée, un quorum formé d'une poignée finit par s'entendre. À trois heures du matin,

Lévesque lève la séance. Demain sera une journée exceptionnelle, historique, ajouteront les journalistes. Le rendez-vous a lieu à l'Assemblée nationale.

ꝏ

Ses députés l'applaudissent. René Lévesque porte beau, il a confiance en la réussite de son rêve. Les caméras de télévision le fixent. Il est quinze heures dix-sept quand il commence la lecture de la question :

Le gouvernement du Québec a fait connaître sa proposition d'en arriver, avec le reste du Canada, à une nouvelle entente fondée sur le principe de l'égalité des peuples ; cette entente permettrait au Québec d'acquérir le pouvoir exclusif de faire ses lois, de percevoir ses impôts, et d'établir ses relations extérieures, ce qui est la souveraineté, — et, en même temps, de maintenir avec le Canada une association économique comportant l'utilisation de la même monnaie ; aucun changement de statut politique résultant de ces négociations ne sera réalisé sans l'accord de la population lors d'un autre référendum, en conséquence, accordez-vous au gouvernement du Québec le mandat de négocier l'entente projetée entre le Québec et le Canada ?

Oui

Non

La date du référendum est fixée au 20 mai 1980 ; les électeurs ont une trentaine de jours pour se faire une opinion. Joueur invétéré, René Lévesque est comme devant une table de casino. La roue tourne. Les jeux sont faits… rien ne va plus… quelle sera l'issue de la partie ?

— Quand j'ai laissé la réunion, hier soir, il n'était pas question d'un deuxième référendum…

Jacques Parizeau est en furie. On raconte qu'à la fin du discours de son chef il a quitté en coup de vent le salon bleu de l'Assemblée nationale. René Lévesque cherche à retenir son ministre des Finances : en bon soldat, comme il se décrit, Parizeau ne démissionnera pas. Et puis, il pense comme son chef que la majorité des Québécois acceptera la proposition du gouvernement. En mars 1980, les débats parlementaires vont bon train, la campagne référendaire est sur les rails. Lévesque confie aux péquistes : « Le vrai travail consiste à persuader les indécis, *les fédéralistes parlables*. » Mais à tout moment, il garde un œil sur ce qui se passe au fédéral. Le 18 février, l'inévitable arrive : Pierre Elliott Trudeau est réélu premier ministre du Canada.

— Et il revient aux Communes avec soixante-quatorze des soixante-quinze du Québec !

Le chef des forces souverainistes est inquiet. Contrairement à ce qu'il avait prévu, Claude Ryan, le chef des libéraux provinciaux depuis 1978, n'est plus le seul porte-parole du « non » ; Lévesque affronte à présent un adversaire plus habile et plus aimé, Pierre Elliott Trudeau. L'espoir d'une victoire éclatante s'efface peu à peu. « Nous l'aurons à l'arraché », admettent les plus optimistes. De fait, après le dépôt de la loi référendaire à l'Assemblée nationale, sur le terrain, la campagne s'annonce difficile. Lévesque ne se laisse pas démonter. Vingt ans de vie politique lui ont appris à relever les manches le moment venu. Avec ce don singulier qu'il possède de pouvoir fouetter l'enthousiasme dans les instants les plus sombres, il rebondit quand tous sont démolis.

Plus le temps approche, plus l'échec du référendum paraît inévitable. Lévesque fulmine. Il accuse les fédéralistes, en particulier Pierre Trudeau, qui promet de renouveler la constitution, et ses ministres, qui inventent toutes sortes de menaces. Mais il continue de se battre. « J'espère seulement qu'une majorité de francophones s'exprimera en faveur de la souveraineté… »

Mais ce ne sera pas le cas. René Lévesque, qui a tenté pendant plus d'un mois de convaincre les Québécois de voter pour le « oui », n'a presque plus de voix quand il est accueilli par cinq mille partisans assemblés au centre Paul-Sauvé de Montréal.

— Si je vous ai compris, vous venez de dire : « À la prochaine fois… »

Il faut s'incliner devant les résultats : 59,6 % de l'électorat a choisi le « non », contre 40,4 % pour le « oui ». Lévesque a bûché pendant treize ans pour aboutir à cet échec. Pourtant, ce jour-là, il se persuade d'être encore là au prochain rendez-vous.

Archives nationales du Canada, PA-141502.

Pierre Elliott Trudeau, premier ministre du Canada,
et Claude Ryan, chef de l'opposition libérale à Québec,
avant le discours du référendum, le 14 mai 1980.

9

« … *un vieil arbre oublié dans la plaine* »

— C'est la faute aux Yvette !

La rengaine revient immanquablement pour expliquer la défaite et pour trouver des coupables.

— Non, ce serait trop simple.

René Lévesque n'est pas de ceux qui immolent le bouc émissaire, même s'il est d'avis que la ministre d'État à la Condition féminine, Lise Payette, a commis une bourde quand elle a comparé la femme de Claude Ryan à une Yvette, un archétype de la petite fille docile et soumise des manuels scolaires. De fait, cet impair aurait pu passer inaperçu, n'eût été l'éditorial de Lise Bissonnette, dans *Le Devoir*, qui allait faire flamber les passions. Dans un élan de solidarité spontanée, en moins de quelques semaines, le clan du « non » a organisé un immense ralliement. Le 7 avril, au Forum de Montréal, des milliers de femmes, toutes des Yvette et fières de l'être, portaient leur macaron du « non » et faisaient danser des banderoles avec le slogan de la campagne fédéraliste : *Plus j'y pense, plus c'est non.* Un succès médiatique sans commune mesure. Les Yvette ont fait mal à la campagne des souverainistes.

— À l'époque, je commençais à penser que nous allions perdre, soutient Lévesque. Mais je ne comprends pas… Lise Payette s'était pourtant excusée en Chambre, c'est moi-même qui lui avais dit qu'elle ne pouvait pas y échapper.

Un mois avant que la ministre péquiste ne se moque de l'épouse du chef libéral, des sondages montraient que le « oui » glissait vers la défaite. Mais la politique est un monde sans indulgence. Une gaffe, et une carrière est entachée à jamais. Se remémorant le 20 mai 1980, Lévesque confie : « Ce jour-là, sur la scène du centre Paul-Sauvé, madame Payette avait l'air d'une pénitente. »

Une bataille étant finie, une autre commence. Le référendum ayant eu lieu au terme du premier mandat du gouvernement péquiste, Lévesque entreprend une nouvelle campagne électorale. « Nous allons gagner », affirme-t-il. D'où lui vient cette certitude ? Dans la série des rencontres constitutionnelles que Trudeau compte faire, le Parti québécois apparaît comme le seul interlocuteur capable de faire valoir les droits de la province. Le lundi 13 avril 1981, le Parti québécois est facilement réélu avec quatre-vingts députés contre quarante-deux libéraux.

— Nous ne sommes pas un accident de l'histoire, souligne René Lévesque qui prend la tête du gouvernement pour un deuxième mandat.

Après les discours et les entrevues, Lévesque s'amuse ferme avec ses proches collaborateurs : pendant un moment, dans la soirée, l'ordinateur de Télé-Métropole en folie avait annoncé la remontée spectaculaire de l'Union nationale. « Le pauvre Roch Lasalle a cru un moment qu'il était premier ministre du Québec ! » L'atmosphère est à la rigolade, cette victoire du Parti québécois est un baume sur la cicatrice de la défaite référendaire. Un baume qui ne guérit pas la gangrène rongeant le parti.

René Lévesque approuve le plan de Claude Morin : « Nous allons renoncer à notre droit de *veto* à tout changement constitutionnel ; en échange, nous allons demander un droit de retrait avec compensation financière. » Pour contrer le rapatriement unilatéral de la Constitution, tel que le propose Pierre Elliott Trudeau, le Québec fera front commun avec les sept provinces anglophones qui refusent ce coup de force.

Le 1er novembre 1981, la délégation québécoise s'installe à Hull, de l'autre côté de la rivière des Outaouais. René Lévesque est assez sûr de lui pour jouer au poker dans ses moments libres. Convoqué à la dernière minute, Jacques Parizeau est scandalisé du laisser-aller qui règne dans la chambre du chef du Parti québécois : Lévesque, en compagnie de ses bonzes, est entouré de trois femmes que le ministre des Finances surnomme ironiquement des « égéries ». Écœuré, Parizeau quitte en catastrophe la réunion pour s'en retourner à Québec. Cette scène ne présage rien de bon.

Le « non » des Québécois l'ayant emporté, Pierre Elliott Trudeau passe aux actes. Dix-huit mois après cette victoire, le premier ministre du Canada convoque les dix premiers ministres provinciaux au Centre des congrès à Ottawa. Rapatrier la Constitution canadienne, c'est l'obsession de Trudeau. En politique depuis 1965, c'est l'héritage politique qu'il veut léguer. Pour ce faire, il a l'intention de rendre au Canada toute sa Constitution, qui était jusque-là une loi britannique modifiable seulement sur demande au Parlement de Westminster. Cette première étape lui permettrait d'inclure dans la Constitution canadienne la Charte des droits et libertés qui lui est si chère.

Pierre Elliott Trudeau ne laissera pas le Québec lui voler son rêve.

Cette conférence fédérale-provinciale de 1981 risque-t-elle de finir comme à l'habitude, dans la rancœur et les récriminations ? Le 4 novembre au matin, coup de théâtre. Lévesque laisse entendre qu'il serait prêt à relever le défi de Trudeau qui propose un référendum à l'échelle nationale, deux ans après le rapatriement de la Constitution. « Vous, avait lancé le premier ministre canadien à René Lévesque, vous, le grand démocrate, ne me dites pas que vous craindriez la bataille ? » Par bravade, Lévesque avait cédé.

Mauvaise stratégie ? Lévesque voulait-il rompre le pacte qu'il avait conclu auparavant avec les sept autres provinces alliées ? Dans l'après-midi, Lévesque semble se raviser : « La proposition d'un référendum national est pleine de chinoiseries, fait-il savoir aux journalistes. Trudeau l'a assortie d'une foule de conditions inacceptables. »

Le soir du 4 novembre, lorsque la délégation québécoise se replie à l'Auberge de la Chaudière, Lévesque serre la main de ses homologues. La nuit sera courte. Le réveil, brutal.

— On nous a joué dans le dos !

René Lévesque s'entretient avec Corinne au téléphone.

— Pendant qu'on dormait, les premiers ministres des autres provinces se sont rencontrés dans les cuisines du Centre des congrès pour chipoter ensemble des tractations. Pendant notre absence, ils en sont venus à une entente que Trudeau a acceptée… Un coup de Jarnac… Quelqu'un a dit que cela ressemblait à la nuit des longs couteaux. Le Québec a tout perdu : son droit de *veto* en plus de son droit de retrait avec compensation. Maintenant, on est tout seul dans notre coin.

Pleure-t-il ? Sa compagne le sent dévasté. Pendant un moment, il parle de prendre l'avion pour Québec. Ce serait une erreur. Il faut expliquer une fois encore l'échec, en assumer la responsabilité et vivre avec ses conséquences.

Le 5 novembre, les milliers de militants accueillent à l'aéroport de l'Ancienne-Lorette un homme déchu. Les jours passent, Lévesque n'est plus le même. Au sein de son parti, monte la contestation.

La victoire électorale d'avril 1981 a été un cadeau de Grec ; le deuxième mandat du gouvernement péquiste ne rappelle en rien le climat de solidarité d'après 1976. Distant, bourru, agressif, Lévesque ne tolère plus les exigences de ses ministres, les réunions du caucus lui sont insupportables. Les discussions tournent souvent au vinaigre. Le chef a du mal à contenir les crises de divas et les conflits de personnalités.

Désordonné, Lévesque l'est aussi dans sa vie privée. Ses adversaires prennent note de ses incartades, le moindre écart de conduite pouvant servir contre lui. Toujours enclin à séduire les femmes, il résiste au temps qui fuit en se rassurant par des conquêtes faciles.

Mais la réalité le rattrape au détour de ce tourbillon dans lequel il s'étourdit. En décembre, le congrès national s'avère une rude épreuve de force. Aux militants qui s'impatientent de la lenteur du parti à réaliser la souveraineté du Québec, il doit expliquer l'échec de la dernière conférence fédérale-provinciale. Lévesque est désabusé. La fatigue du pouvoir le mine. Pour se défendre, il devient furieux. Dans les journaux, on rapporte son langage ordurier, indigne de la fonction de premier ministre. Il ne cesse de parler de « draps sales », de « couches répugnantes », de « putain », il lance à tout propos le mot « fourrer », note une éditorialiste qui dénonce son vocabulaire « de basse-cour ». Plusieurs ne reconnaissent plus dans cet homme aigri celui qui autrefois, dans les périodes difficiles, se distinguait par son sens de l'humour. En réalité, Lévesque est démoli : l'échec de novembre 1981 a ravivé celui du référendum. Il se perçoit comme un perdant et n'a plus la force de batailler.

Au congrès de Montréal, il n'a pas l'intention de pousser plus loin le projet constitutionnel. Désormais, il veut parler d'économie. Récemment, le ministre des Finances lui a dévoilé les chiffres du déficit, qui sont catastrophiques. C'est donc en chef de gouvernement qu'il affronte ses partisans. Mais ceux-ci ne partagent pas ses préoccupations.

— Je propose qu'on laisse tomber le projet d'association avec le Canada, soutient un délégué de l'assemblée.

Un autre va plus loin : il faut enlever des droits aux anglophones. Il faut que la prochaine élection soit référendaire, qu'elle soit validée par le seul nombre de sièges et non au suffrage total. Quand il entend applaudir la résolution demandant que les prisonniers felquistes soient transférés dans une prison québécoise, René Lévesque bondit. À la clôture du congrès, son discours est sans pitié pour les délégués. Ses reproches sont vifs. Il avoue qu'il se sent mal pris et ajoute :

— J'ai songé spontanément à me départir de mon rôle de président du Parti québécois, j'ai pensé à démissionner… Mais je me suis dit : il y a ceux à qui cela ferait trop plaisir. J'ai donc réfléchi. Et je continue. »

René Lévesque n'est pas dupe : l'allusion est directe, il y a dans son parti des gens qui souhaitent son départ. Pendant combien de temps peut-il mater leur désir ?

ꝏ

Le *renérendum* : le jeu de mots est mi-figue mi-raisin.

— L'idée ne venait pas de moi, avoue Lévesque, mais il m'apparaissait intéressant de faire un référendum auprès des militants. Nous avions raison : presque la totalité était de mon côté. Il était temps de se remettre au travail… au plus vite.

La tempête à peine finie, une autre s'élève. Plus forte, celle-ci, plus menaçante. Si les dépenses continuent d'augmenter, le Québec court à la faillite : le trou à combler est de sept cents millions de dollars ! Pas question d'imposer un gel ni d'annuler les augmentations de salaire aux employés de la fonction publique. « Jamais je ne renierai ma signature ! » répond le ministre des Finances, Jacques Parizeau.

Après des jours de discussions, « à [l]e rendre fou », confie Lévesque, celui-ci finit par approuver la solution de Parizeau, celle qui consiste à verser les augmentations jusqu'à la fin de décembre, puis à récupérer en trois mois la somme du déficit. Ce que des analystes désigneront comme « la piscine » — soulignant par là une ressemblance entre le tracé de la courbe des salaires qu'on veut imposer et le bassin d'une piscine — amène le gouvernement péquiste à voter une série de lois d'exception qui imposent des règlements non négociés. Les trois cent mille employés de la fonction publique, révoltés, se sentent trahis. René Lévesque devient le bouc émissaire de cette stratégie économique ; dégoûtés, les syndiqués le brûlent en effigie. Plus tard, dans une entrevue, il avoue :

— Ce qui m'a fait le plus mal, c'est quand j'ai vu sur une pancarte les mots : *Lévesque, le boucher de New Carlisle.* Ça a réveillé en moi des souvenirs d'enfance pénibles, l'injustice sociale en Gaspésie… j'ai senti qu'on m'attaquait personnellement.

L'intransigeance du gouvernement a des répercussions dommageables sur le Parti québécois. Sa chute est abrupte. De trois cent mille membres au début de 1982, l'adhésion dégringole pour plafonner au milieu de 1983 à un maigre soixante-dix-huit mille cotisants. Plus que jamais, Lévesque a l'impression d'être le fossoyeur de son rêve, d'être seul dans sa traversée du désert. Un héros shakespearien, Hamlet qui doute, le roi Lear dénudé, Richard III sans son royaume.

Une portion de gin, quelques gouttes de vermouth, un zeste de citron : le martini est sur la table, à côté d'un paquet de cigarettes ouvert. Fin novembre. Ce soir-là, René Lévesque s'est enfermé chez lui, rue d'Auteuil, à Québec. Si seulement il pouvait effacer d'un coup cette année 1984 qui additionne les malheurs ! On dit qu'il boit trop. Certains suggèrent même de demander au lieutenant-gouverneur de le démettre de ses fonctions, un *impeachment*, en quelque sorte.

Lévesque jongle. Un verbe qui se trouve souvent dans son journal intime. Depuis janvier, il est revenu à cette habitude qu'il avait perdue depuis l'adolescence :

il écrit pour repérer des pistes de réflexion, pour éviter de commettre les mêmes fautes. Il a beaucoup souffert. La démission de Claude Charron à la fin de 1982 — à la suite d'une accusation de vol à l'étalage au magasin Eaton — lui a fait mal. C'est contre son gré qu'il a accepté que le « foufou », comme il le surnomme affectueusement, s'en aille. En revanche, le départ de Claude Morin avait suscité des sentiments plus ambigus. C'était trois ans plus tôt. Lorraine Lagacé, une fonctionnaire au ministère des Affaires intergouvernementales, avait demandé un rendez-vous au bureau de Montréal.

— Monsieur Lévesque, votre ministre Claude Morin espionne pour la Gendarmerie royale du Canada ! Il reçoit de l'argent. Quatre cents dollars à chaque rencontre.

Quel choc. Il avait blêmi. Était-ce possible ? Après s'être informé auprès de collègues qui en savaient plus que lui, le chef du PQ s'était senti floué. Morin avait beau jurer qu'il n'avait jamais donné de renseignements susceptibles de mettre le Québec en danger, Lévesque s'était alors rendu compte de sa vulnérabilité. On le trompait effrontément et lui, il ne soupçonnait rien, aveugle, faisant trop confiance à ceux qui l'entouraient. Grave erreur de jugement quand on assume la responsabilité de chef d'État.

Les malheurs le poursuivent. Comme ce retour de Robert Bourassa à la tête des libéraux. L'économiste a pris du galon dans les universités européennes, d'où la remontée du Parti libéral que 66 % de l'électorat souhaiterait reporter au pouvoir. Et ce dernier sondage en manchette : « Pour un Québécois sur deux,

Lévesque doit partir même s'il s'acquitte bien de sa tâche. » Pas étonnant que le neuvième congrès du Parti québécois se soit soldé par un échec !

Lévesque prend une autre cigarette. Fumer, sa passion ; un besoin qui le possède comme le désir de réduire en cendres tous ses tracas.

Il se dit qu'il aurait pu s'enfoncer dans une politique irrationnelle, en avril 1982, au moment où Pierre Elliott Trudeau célébrait en grandes pompes le rapatriement de la Constitution canadienne, quand il pavoisait et que sous son regard triomphant la reine Élisabeth II signait les documents officiels. Lui, il aurait pu s'entêter à vouloir la souveraineté à tout prix. « Mais j'ai pris un risque... »

Lévesque s'efforce de faire resurgir des images, les plus douloureuses qui le tenaillent. Congrès national du Parti québécois, juin 1984 : c'est là que les dominos se mettent à tomber. Contre ses attentes, les délégués les plus radicaux parviennent à faire adopter la résolution que la prochaine élection soit référendaire.

Lévesque doit trouver une solution. Il ne faut pas laisser faire les ultras, sinon le PQ s'en va directement à l'abattoir !

Autour du chef péquiste, les stratèges cherchent une issue. Pourquoi ne pas accepter l'offre de Brian Mulroney, le nouveau chef du Parti conservateur au fédéral ? Quelques semaines plus tard, le 4 septembre, il va défaire les libéraux. L'une de ses premières promesses consistera d'ailleurs à faire rentrer le Québec dans la Confédération canadienne. « Avec honneur et enthousiasme », soulignera Lucien Bouchard, qui deviendra ministre dans le gouvernement Mulroney.

— Le beau risque…

Comme une dernière chance. Mettre en veilleuse la souveraineté, essayer de nouer une alliance avec les fédéralistes les moins arrogants. Cela ressemble à une troisième voie, qui consiste à demander plus de pouvoir à Ottawa. Oui, c'est décidé. René Lévesque tend la main aux conservateurs et s'engage dans ce virage. Attention aux dérapages !

Mais tout s'enchaîne pour le pire. De juillet à novembre 1984, c'est la dégringolade.

— J'ai mal joué la partie, conviendra plus tard René Lévesque. Quand j'étais à Fort Prével, en Gaspésie, j'ai dit à tout le monde qu'il fallait un moratoire sur la question constitutionnelle. Ne plus en parler pour un temps. Mais pourquoi ai-je permis à Pierre Marc Johnson de donner une entrevue au *Devoir* ?

Lévesque vide cul sec son martini et allume une autre cigarette. Sans complaisance, il cherche à comprendre ce qui a bien pu se passer pour qu'il se retrouve aussi seul. Un poème de Pamphile Le May le hante, des mots simples qui lui parlent : « … je suis comme le vieil arbre dans la plaine… »

À la mi-novembre, Lévesque affirme qu'il met au congélateur l'idée de la souveraineté-association. Douze ministres, évoquant la « nécessaire souveraineté », font une déclaration publique qui s'apparente à une tentative de putsch. Le chef leur répond par une lettre dont les mots attisent la hargne qui dormait depuis les échecs successifs du référendum et de la nuit des longs couteaux de 1981. Dorénavant, pour lui, il n'y aura jamais d'élection référendaire. Et, ajoute-t-il, « quelle forme sera-t-il appelé à prendre, cet État-nation que nous croyions si proche et totalement indispensable tel que nous le dessinons depuis les années soixante ? Je ne le sais pas plus que quiconque. »

Croyions... L'utilisation de l'imparfait choque les résistants.

La guerre est ouverte. De tous les bords, il y aura des perdants.

Rue d'Auteuil, René Lévesque a étalé devant lui les lettres des démissionnaires. « Mais voyons, un ministre, ça ne démissionne pas ! » avait-il déjà lancé à la blague. Il se trompait. À la fin de novembre, douze ministres sont partis. De vieux camarades de combat, dont certains qu'il connaît depuis 1970, presque quinze ans... Il regrette surtout le départ du docteur Camille Laurin qu'il estimait et que, parfois, il redoutait. « Un psy, c'est toujours en train de fouiller l'inconscient ! »

Le lendemain, à l'Assemblée nationale, Lévesque ne siégera plus à côté de ses douze anciens ministres. Va-t-il éviter leur regard ? saluer ses amis ? Un supplice. Voulant croire qu'il est encore possible de laver son linge sale en famille, Lévesque songe à convoquer un congrès exceptionnel avant la fin de janvier. Les fils prodigues, pense-t-il, reviendront auprès de leur père. Et il est prêt à leur accorder le pardon.

— Où est-il ?

En vacances à la Barbade, Corinne n'a pas pu retenir son époux. Sans la prévenir, un matin, il a pris l'avion pour Montréal. À l'autre bout du fil, Yves Michaud la rassure : René est à son bureau d'Hydro-Québec.

— Il est fatigué. Un *burnout*. On va essayer de le convaincre d'aller passer un test à l'hôpital.

La nouvelle ne met pas longtemps à circuler parmi les journalistes qui font le pied de grue dans les corridors de l'Enfant-Jésus à Québec. « Est-il vrai que le premier ministre souffre d'une tumeur au cerveau ? » Non. Il s'agirait plutôt d'un cancer aux poumons, il fume beaucoup trop ! Les potineurs devront se taire : ils se trompent d'un bout à l'autre. Après plusieurs tests, le dossier médical de Lévesque s'avère des plus encourageants : à son âge, il doit cependant ralentir ses activités et faire plus attention à son alimentation. « Allez, vite, que je retourne au travail », confie Lévesque. Il a surtout en tête le congrès de janvier, celui de la dernière chance. Ragaillardi par les conseils de son médecin, il se sent d'attaque pour surmonter cette nouvelle épreuve.

Mais a-t-il bien estimé ses chances de succès ?

En 1967, c'est lui qui avait quitté le Parti libéral. Cette fois, ce sont les autres qui s'en vont. Jusqu'à la fin, ils s'opposent à leur chef qui ne veut plus entendre parler d'élection référendaire. Au Palais des congrès, un tiers des délégués quittent la salle en criant : *Le Québec aux Québécois !* Six cents personnes sur deux mille, avec à leur tête le docteur Laurin, auréolé du prestigieux titre de « père de la loi 101 ». Décidément, la roue de la fortune ne tourne plus en faveur de René Lévesque. Ce congrès qui ouvre l'année 1985 confirme avec éclat que les orthodoxes et les révisionnistes sont irréconciliables.

Au milieu des disputes, Lévesque est l'ombre de lui-même.

Mais il ne lâche pas prise et il annonce qu'il sera à la tête des péquistes pour la prochaine élection, prévue avant la fin de l'année. Crâne-t-il quand il souligne qu'il n'a jamais vu ses troupes en si bon état ? La campagne de financement va bon train, le chef du PQ est prêt à se jeter dans l'arène.

Le 25 juin 1985, l'Assemblée nationale est en fête. Vingt-cinq ans plus tôt, alors député libéral de la circonscription de Montréal-Laurier, Lévesque faisait son entrée dans la vie politique. À la fin des discours de circonstance, Lévesque salue son ami fidèle, Marc-André Bédard. Il est presque dix-neuf heures au moment où il se retire dans ses bureaux. En fin de soirée, après le bulletin de nouvelles nationales, la présidente du Parti québécois reçoit une lettre dont elle reconnaît l'écriture : « Chère Nadia… »

Le communiqué est bref, laconique, froid, à l'image de celui qui déteste les épanchements et le sentimentalisme : René Lévesque démissionne de son poste de président du Parti québécois, il assumera toutefois l'intérim jusqu'à l'automne, jusqu'à l'arrivée de son successeur, Pierre Marc Johnson.

Seuls quelques intimes avaient été mis au courant de la décision qu'il avait prise deux mois plus tôt. Ce soir, il se sent libre.

Octobre 1986 : René Lévesque publie ses mémoires, sous le titre ironique, *Attendez que je me rappelle*. Cent mille copies sont vendues. Après avoir pris le temps de voyager, en août 1987, Lévesque accepte une chronique à *Point de vue sur l'actualité* sur les ondes de la radio montréalaise CKAC. Pendant la semaine de la francophonie, on le voit aussi à Télé-Métropole pour des émissions spéciales. Heureux de revenir à ses anciennes amours, Lévesque s'intéresse particulièrement au sujet chaud de l'époque, le libre-échange économique avec les États-Unis. Il ne parle presque plus de la souveraineté, il laisse cette tâche à Jacques Parizeau, le nouveau chef du Parti québécois.

Le vendredi 30 octobre, veille de l'Halloween, à la radio, il blague avec Jacques Proulx. Il a le ton vif qui fait son charme. En quittant la station de la rue Peel, il lance à tous :

— À la prochaine.

Mais il ne reviendra plus. Il lui reste moins de deux jours à vivre.

RENÉ LÉVESQUE EST MORT. Quatre mots coiffent la une des journaux du lundi 2 novembre 1987. La veille, dans son appartement de l'Île-des-Sœurs, l'ancien premier ministre a ressenti un malaise. Transporté à l'hôpital, il est décédé des suites d'une crise cardiaque. Il avait soixante-cinq ans.

Venus de tous les partis politiques, les éloges sont unanimes. Même s'il n'est plus premier ministre du Québec, le gouvernement libéral de Robert Bourassa lui accorde des funérailles de chef d'État. À Montréal, des milliers de gens attendent pendant des heures pour défiler devant sa dépouille. Leur deuil est sincère; leurs hommages, des plus spontanés: «C'est comme si on perdait un ami», avouent des inconnus qui ne l'ont jamais approché. René Lévesque faisait partie de la famille québécoise. L'homme était à l'image du Québec, dans ses doutes et ses contradictions. «Le chef-poète», le surnommait Jacques Parizeau.

Au cimetière Saint-Michel de Sillery, sur la pierre tombale de René Lévesque, les mots de Félix Leclerc résument la fierté qu'il inspirait: «La première page de la vraie histoire du Québec vient de se terminer. Dorénavant, il fera partie de la courte liste des libérateurs de peuple.»

Archives nationales du Canada, PA-201930. Photo : Robert Cooper.

Claude Morin, Pierre Elliott Trudeau, René Lévesque (de dos) et Jean Chrétien en 1981, lors de la conférence constitutionnelle à Ottawa.

Chronologie de René Lévesque (1922-1987)

Établie par Michèle Vanasse

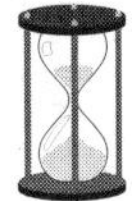

René Lévesque et le Québec

1920
Louis-Alexandre Taschereau, libéral, devient premier ministre.

1921
Fondation de la Confédération des travailleurs catholiques du Canada (CTCC). Elle deviendra la Confédération des syndicats nationaux (CSN) en 1960.

Adoption de la Loi de l'assistance publique et création de la Commission des liqueurs.

Le Canada et le monde

1920
Canada : Arthur Meighen, remplaçant de Robert Borden, devient premier ministre.

États-Unis : le droit de vote est accordé aux femmes.

1921
Canada : le libéral Mackenzie King est élu premier ministre.

Chine : fondation du Parti communiste chinois. Mao Zedong est parmi les fondateurs.

René Lévesque et le Québec	**Le Canada et le monde**
1922 Naissance le 24 août, à l'hôpital de Campbellton, au Nouveau-Brunswick, de René Lévesque, fils de Diane Dionne et de Dominique Lévesque, avocat à New Carlisle. À Montréal, fondation par *La Presse* de CKAC, la première station radiophonique francophone.	**1922** Italie : marche sur Rome et arrivée au pouvoir de Benito Mussolini. URSS : le congrès des Soviets fonde l'Union des républiques socialistes soviétiques. Joseph Staline est élu secrétaire général du Parti bolchevique.
1927 René commence son cours primaire à l'école bilingue Numéro 1 de New Carlisle. Le gouvernement Taschereau est réélu.	**1927** Le Labrador est attribué à Terre-Neuve par le Comité judiciaire du Conseil privé de Londres. Viêtnam : Hô Chi Minh fonde le Parti communiste vietnamien.
1929 Le maire de Montréal et député Camillien Houde est choisi pour succéder à Arthur Sauvé comme chef du Parti conservateur du Québec.	**1929** États-Unis : le jeudi 24 octobre, l'effondrement de la Bourse de New York marque le début de la Grande Dépression qui va s'étendre à l'ensemble de l'Occident.
1930 Promulgation de la Loi de l'aide aux chômeurs.	**1930** Canada : victoire des conservateurs de Richard Bennett.
1932 Fondation du mouvement des Jeunes-Canada dont le *Manifeste de la jeune génération* est rédigé par André Laurendeau.	**1932** Canada : fondation de la Cooperative Commonwealth Federation (CCF) qui deviendra le Nouveau Parti démocratique (NPD) en 1961.
1933 Entrée de René au Séminaire des Jésuites fondé en 1926 à Gaspé.	**1933** États-Unis : Franklin D. Roosevelt devient président ; fin de la prohibition.

René Lévesque et le Québec	Le Canada et le monde
Publication par un groupe de jésuites et de laïcs du *Programme de restauration sociale*.	Allemagne : Adolf Hitler devient chancelier.
Maurice Duplessis est élu chef du Parti conservateur du Québec.	
1934	**1934**
Fondation de l'Action libérale nationale, dirigée par Paul Gouin, fils de Lomer Gouin et petit-fils d'Honoré Mercier.	Chine : à la tête des communistes chinois, Mao Zedong entame la Longue Marche afin d'obtenir le soutien actif de la population et de faire une révolution paysanne plutôt que prolétarienne.
Adrien Arcand fonde le Parti national social chrétien, parti d'extrême droite favorable à l'établissement d'un régime fasciste.	
1935	**1935**
Élections : victoire du Parti libéral contre l'Action libérale nationale de Paul Gouin et le Parti conservateur de Maurice Duplessis.	Canada : le libéral Mackenzie King redevient premier ministre.
La fusion du Parti conservateur et de l'Action libérale nationale de Paul Gouin entraîne la fondation de l'Union nationale par Maurice Duplessis.	France : premières émissions de télévision.
1936	**1936**
Démission du premier ministre Louis-Alexandre Taschereau, remplacé par Adélard Godbout.	Canada : création de la Société Radio-Canada.
Victoire électorale de Maurice Duplessis à la tête de l'Union nationale.	France : victoire électorale du Front populaire dirigé par Léon Blum ; ce parti rassemble les forces de gauche en lutte contre le fascisme.
Création du Crédit agricole provincial.	

René Lévesque et le Québec	Le Canada et le monde
Adoption de la Loi des pensions de vieillesse du Québec.	Alliance de l'Allemagne hitlérienne et de l'Italie fasciste. Espagne : début de la guerre civile entre les nationalistes du général Franco et les républicains.
1937 Mort de Dominique Lévesque à l'âge de 48 ans. Duplessis fait voter la « loi du cadenas » qui interdit à toute personne d'utiliser sa maison pour propager le communisme. Adoption de la Loi des salaires raisonnables et de la Loi de l'assistance aux mères nécessiteuses.	**1937** Canada : la commission Rowell-Sirois étudie les relations fédérales-provinciales. Grande-Bretagne : couronnement de George VI.
1938 René devient speaker à la station CHNC de New Carlisle pendant les vacances. Diane Dionne et ses enfants s'installent à Québec et René est inscrit au collège Garnier.	**1938** Anschluss : par un coup de force, Hitler rattache l'Autriche au Reich allemand. Accords de Munich : la France et l'Angleterre, par crainte d'un conflit, acceptent l'annexion du territoire des Sudètes, une partie de la Tchécoslovaquie, par Hitler.
1939 Remariage de Diane Dionne avec Albert Pelletier, avocat et ami de la famille. Le Parti libéral d'Adélard Godbout gagne les élections grâce à la promesse du ministre fédéral de la Justice, Ernest Lapointe, qu'il n'y aura pas de conscription.	**1939** Deuxième Guerre mondiale : le 1er septembre, l'invasion de la Pologne par l'Allemagne incite la France et la Grande-Bretagne à lui déclarer la guerre. Canada : déclaration de guerre à l'Allemagne le 10 septembre.

RENÉ LÉVESQUE ET LE QUÉBEC | **LE CANADA ET LE MONDE**

États-Unis : le pays reste neutre dans le conflit.

Espagne : victoire du général Franco.

1940

En février, alors qu'il est en Philosophie I, René Lévesque est renvoyé du collège Garnier et admis au Séminaire de Québec.

Il travaille à mi-temps comme speaker au poste de radio CKCV.

Le gouvernement Godbout accorde le droit de vote aux femmes.

Mgr Joseph Charbonneau est nommé archevêque de Montréal.

1940

Grande-Bretagne : Winston Churchill devient premier ministre.

Italie : entrée en guerre aux côtés de l'Allemagne.

Capitulation de la France : alors que le gouvernement du maréchal Pétain s'installe à Vichy, le général Charles de Gaulle appelle les Français à la résistance et forme les Forces françaises libres.

1941

Après avoir réussi son baccalauréat en mai, René Lévesque s'inscrit à la faculté de droit de l'Université Laval en septembre.

Mort d'Albert Pelletier, second époux de Diane Dionne et beau-père de René.

1941

Canada : création du service d'information de Radio-Canada.

URSS : entrée en guerre contre l'Allemagne.

États-Unis : attaque des Japonais sur Pearl Harbor, à Hawaii, le 7 décembre. Les Américains déclarent la guerre au Japon et à ses alliés, l'Allemagne et l'Italie.

1942

Échec cuisant de *Princesse à marier*, pièce écrite par René Lévesque avec Lucien Côté et présenté au Palais Montcalm.

1942

Canada : à la suite d'un plébiscite tenu le 27 avril, le Parlement canadien adopte le projet de loi 80 en faveur de la conscription. Maxime Raymond fonde le Bloc

René Lévesque et le Québec	**Le Canada et le monde**
Lévesque est engagé comme annonceur à CBV-Québec, affiliée à Radio-Canada. L'Assemblée législative se prononce contre la conscription.	populaire, parti des opposants québécois à la conscription. France : débarquement meurtrier à Dieppe ; près de la moitié des Canadiens qui y participent sont tués.
1943 Entrée en vigueur de la Loi sur l'instruction obligatoire. L'État institue une commission qui a pour tâche de préparer un plan universel d'assurance-maladie ; elle sera dissoute par Duplessis l'année suivante.	**1943** Canada : tenue de la Conférence de Québec entre Churchill et Roosevelt afin d'accélérer la préparation du débarquement sur la péninsule italienne et en Normandie.
1944 René Lévesque abandonne ses études de droit et entre à l'Office of War Information. Il part pour Londres où il travaille à La voix de l'Amérique. Le gouvernement Godbout étatise la compagnie d'électricité Montreal Light, Heat and Power et adopte la loi établissant Hydro-Québec. Aux élections, Maurice Duplessis reprend le pouvoir.	**1944** Italie : les Américains marchent sur Rome. France : le 6 juin, débarquement allié en Normandie sous le commandement du général américain Dwight Eisenhower. Pacifique : intervention massive des forces américaines qui refoulent les Japonais et progressent en direction du Japon.
1945 René Lévesque, agent de liaison et correspondant de guerre affecté à la division du général Patton en France, voit les ravages de la guerre en Alsace, en Autriche, en Italie et en Allemagne ; il pénètre	**1945** Canada : réélection de Mackenzie King. Europe : capitulation de l'Allemagne le 7 mai et fin de la guerre. Découverte des camps nazis.

René Lévesque et le Québec

dans le camp de la mort de Dachau avec l'armée américaine.

Retour au Canada. Radio-Canada embauche René Lévesque au Service international, La voix du Canada. Il s'installe à Montréal.

Le gouvernement provincial réclame au fédéral le droit de taxer le revenu des particuliers et des corporations, les successions et l'essence.

Création de l'Office de l'électrification rurale et du département des Ressources naturelles.

1946
À Radio-Canada, Lévesque présente *Les actualités canadiennes*. Il rencontre la journaliste Judith Jasmin.

Création du ministère du Bien-Être social et de la Jeunesse.

1947
René Lévesque épouse Louise, fille d'Eugène L'Heureux, éminent journaliste et ex-rédacteur en chef de *L'Action catholique*.

Hydro-Québec prend possession de Montreal Light, Heat and Power.

Le Canada et le monde

Japon : une bombe atomique est larguée sur Hiroshima le 6 août et sur Nagasaki le 9 août ; capitulation le 2 septembre.

Première assemblée de l'Organisation des Nations Unies (ONU), dont le rôle est de maintenir la paix dans le monde et de veiller au maintien des droits fondamentaux de l'Homme.

États-Unis : mort de Roosevelt ; Harry Truman lui succède.

1946
Winston Churchill nomme les pays sous domination soviétique « pays du rideau de fer ».

France : début de la guerre d'Indochine (Viêtnam).

États-Unis : mise au point du premier ordinateur électronique.

1947
Canada : le pays devient membre de l'ONU.

Inde : la Grande-Bretagne lui accorde son indépendance.

États-Unis : la « doctrine Truman » cherche à endiguer les progrès du communisme et le plan Marshall vise la reconstruction de l'Europe.

René Lévesque et le Québec

1948
Naissance de Pierre, premier enfant des Lévesque.

Réélection de l'Union nationale de Maurice Duplessis. Adoption du drapeau fleurdelisé.

Parution de *Refus global*, manifeste du groupe des automatistes dont Paul-Émile Borduas est le chef de file.

1949
Lévesque anime sa propre émission, *Les interviews de René Lévesque*, sur les ondes courtes et *Journalistes au micro* sur le réseau national.

Grève des mineurs d'amiante à Asbestos ; les manifestations des travailleurs sont durement réprimées, mais de nombreux membres du clergé, dont Mgr Charbonneau, se montrent favorables aux grévistes.

Hydro-Québec acquiert les propriétés, usines et barrages sur la rivière des Outaouais.

1950
Naissance de Claude, deuxième enfant des Lévesque.

Gérard Pelletier et Pierre Elliott Trudeau fondent *Cité libre*, une revue qui s'attaque aux thèmes du nationalisme traditionaliste.

Le Canada et le monde

1948
Canada : Louis Saint-Laurent, libéral, devient premier ministre.

Inde : assassinat du leader nationaliste Gandhi.

Proclamation par David Ben Gourion de l'État d'Israël.

1949
Canada : victoire libérale de Louis Saint-Laurent. Le pays devient membre de l'OTAN, l'Organisation du traité de l'Atlantique Nord. Terre-Neuve devient la dixième province canadienne.

Naissance de la République fédérale d'Allemagne (RFA), intégrée au bloc occidental, et de la République démocratique allemande (RDA), intégrée au bloc soviétique.

Chine : Mao Zedong proclame la République populaire de Chine.

Afrique du Sud : mise en vigueur de l'apartheid.

1950
Guerre de Corée : la Corée-du-Nord communiste attaque la Corée-du-Sud. Intervention des troupes de l'ONU sous le commandement du général américain Douglas MacArthur.

René Lévesque et le Québec

Démission de Mgr Joseph Charbonneau, archevêque de Montréal.

1951
René Lévesque se rend en Corée du Sud comme reporter pour *La revue de l'actualité* de Radio-Canada et pour *Le petit journal*, et séjourne aussi au Japon.

Il devient critique de cinéma à l'émission *La revue des arts et lettres*.

Adoption de la première Loi sur la protection de la jeunesse.

1952
Réélection de l'Union nationale et de Maurice Duplessis mais avec une majorité réduite devant les libéraux de Georges-Émile Lapalme.

Création du ministère des Transports.

1953
René Lévesque abandonne le Service international et prend en charge le service des reportages à la radio de Radio-Canada. Il crée et anime avec Judith Jasmin l'émission *Carrefour*.

Duplessis refuse les subsides fédéraux pour les maisons d'enseignement supérieur.

Le Canada et le monde

1951
Canada : publication du rapport de la commission Massey sur les arts, les lettres et les sciences, qui assigne à l'État fédéral un rôle de protecteur et de bailleur de fonds.

Allemagne : fin du régime d'occupation.

1952
Canada : début de la télévision canadienne de langue française avec la station CBFT.

États-Unis : Dwight D. Eisenhower, républicain, est élu président.

Grande-Bretagne : Élisabeth II devient reine.

1953
URSS : Nikita Khrouchtchev devient secrétaire général du Parti communiste à la mort de Staline.

Corée : fin de la guerre.

RENÉ LÉVESQUE ET LE QUÉBEC

Création de la commission Tremblay, Commission royale d'enquête sur les problèmes constitutionnels.

1954
Établissement de l'impôt provincial sur le revenu des particuliers; le fédéral est contraint de diminuer sa propre taxation de 10%.

1955
Le reporter René Lévesque se rend en URSS avec le ministre des Affaires étrangères Lester B. Pearson, ses conseillers et un seul autre journaliste.

L'émission quotidienne *Carrefour* devient une émission télévisée. Lévesque participe également à l'émission *Conférence de presse*.

1956
Naissance de Suzanne.

Devenu pigiste, René Lévesque anime l'émission jeunesse *Les aventures de Max Fuchs*. Il se voit confier l'émission hebdomadaire d'affaires publiques *Point de mire*.

Maurice Duplessis et l'Union nationale sont reportés au pouvoir.

1957
Fondation de la Fédération des travailleurs du Québec (FTQ).

LE CANADA ET LE MONDE

1954
France: fin de la guerre d'Indochine; les accords de Genève partagent le Viêtnam en deux États, le Viêtnam-du-Nord et le Viêtnam-du-Sud. Début de la guerre d'Algérie.

1955
Bloc de l'Est: le pacte de Varsovie concrétise une entente militaire entre les pays de l'Est.

Viêtnam-du-Sud: proclamation de la république; Ngô Dinh Diêm est président.

1956
Hongrie: insurrection de Budapest et intervention des troupes soviétiques.

Moyen-Orient: l'annonce de la nationalisation du canal de Suez provoque l'attaque d'Israël contre l'Égypte et le débarquement franco-britannique à Suez pour protéger le canal. Intervention de l'ONU et du diplomate canadien Lester B. Pearson.

1957
Canada: John Diefenbaker, conservateur, est élu premier mi-

René Lévesque et le Québec	**Le Canada et le monde**
Raymond Barbeau fonde l'Alliance laurentienne, mouvement qui prône l'indépendance du Québec.	nistre. Lester B. Pearson reçoit le prix Nobel de la paix. Europe : création de la Communauté économique européenne (CEE). URSS : lancement du premier satellite artificiel (*Spoutnik*).
1958 Lévesque retourne à la radio et devient animateur du matin à l'émission *Au lendemain de la veille*. Réal Caouette crée un nouveau parti, le Ralliement des créditistes.	**1958** Canada : adoption du programme d'assurance-hospitalisation à frais partagés avec les provinces. France : Charles de Gaulle devient président.
1959 Mort du premier ministre Maurice Duplessis ; Paul Sauvé lui succède. Grève des réalisateurs de Radio-Canada dans laquelle s'implique activement René Lévesque. Par la suite, *Point de mire* disparaît de l'écran ; Lévesque participe à *Premier plan*.	**1959** Canada : inauguration de la voie maritime du Saint-Laurent. Cuba : révolution socialiste de Fidel Castro.
1960 Après la mort de Paul Sauvé et la défaite d'Antonio Barrette, le Parti libéral de Jean Lesage prend le pouvoir. C'est le début de la Révolution tranquille. René Lévesque est élu député libéral de Montréal-Laurier. Il est nommé ministre des Ressources hydrauliques et des Travaux publics.	**1960** États-Unis : élection à la présidence du démocrate John F. Kennedy.

RENÉ LÉVESQUE ET LE QUÉBEC

Marcel Chaput et André D'Allemagne fondent le Rassemblement pour l'indépendance nationale (RIN).

1961
René Lévesque est nommé ministre des Ressources naturelles, ministère qui fusionne les Ressources hydrauliques et les Mines.

Création du ministère des Affaires culturelles, de l'Office de la langue française et du Conseil des Arts du Québec.

Mise sur pied de la commission Parent qui a pour tâche d'étudier l'organisation et le financement de l'éducation.

1962
Le combat en faveur de la nationalisation de l'électricité se déroule aux élections qui sont remportées par le Parti libéral avec le slogan « Maîtres chez nous ». René Lévesque est réélu.

Création de la Société générale de financement (SGF).

1963
Hydro-Québec prend possession des grandes sociétés privées d'électricité.

Le RIN devient un parti politique.

LE CANADA ET LE MONDE

1961
Canada : fondation du Nouveau Parti démocratique (NPD).

États-Unis : le pays s'engage dans la guerre du Viêtnam par l'envoi de conseillers militaires.

Allemagne de l'Est : construction du mur de Berlin.

URSS : le cosmonaute soviétique Iouri Gagarine est le premier homme à effectuer un vol orbital.

1962
Crise cubaine : devant le blocus naval appliqué par les États-Unis, l'URSS retire ses missiles. La solution pacifique de la crise accentue la détente entre l'Est et l'Ouest.

1963
Canada : Lester B. Pearson, libéral, devient premier ministre.

États-Unis : John F. Kennedy est assassiné à Dallas, au Texas.

René Lévesque et le Québec	**Le Canada et le monde**
Manifestations de violence du Front de libération du Québec (FLQ) qui pose ses premières bombes.	
1964 À la suite des premières recommandations de la commission Parent, création d'un ministère de l'Éducation. Adoption du Code du travail et de la loi créant la Régie des rentes.	**1964** États-Unis : sous Lyndon B. Johnson, successeur de Kennedy, l'escalade au Viêtnam se poursuit et les émeutes raciales se multiplient.
Pierre Bourgault devient président du RIN.	URSS : Khrouchtchev est démis de toutes ses fonctions et remplacé par Leonid Brejnev et Alekseï Kossyguine.
Fondation d'un autre parti indépendantiste, le Ralliement national.	
Samedi de la matraque : répression brutale à Québec à l'occasion de la visite d'Élisabeth II.	
1965 René Lévesque devient titulaire du nouveau ministère de la Famille et du Bien-Être social.	**1965** Canada : l'unifolié devient l'emblème officiel du pays. Rapport préliminaire de la commission d'enquête Laurendeau-Dunton sur le bilinguisme et le biculturalisme.
Adoption de la Loi de la fonction publique, création de la Société québécoise d'exploration minière (SOQUEM) et de la Caisse de dépôt et placement du Québec.	États-Unis : en Alabama, Martin Luther King dirige une marche en faveur des droits des Noirs américains.
Violente manifestation à Montréal le jour de la fête de la reine.	
1966 René Lévesque est réélu député libéral de Montréal-Laurier mais le Parti libéral perd les élections.	**1966** URSS : Leonid Brejnev devient secrétaire général du Parti communiste.

René Lévesque et le Québec	**Le Canada et le monde**
Daniel Johnson, chef de l'Union nationale, devient premier ministre.	Chine : Mao lance la Révolution culturelle prolétarienne.
Lévesque tient une chronique hebdomadaire dans le journal *Dimanche-Matin*.	
Pierre Vallières publie *Nègres blancs d'Amérique*.	
1967	**1967**
René Lévesque démissionne du Parti libéral et siège comme député indépendant. Il fonde le Mouvement souveraineté-association.	Canada : à la suite des recommandations de la commission Laurendeau-Dunton, le gouvernement fédéral décide de promouvoir le bilinguisme au sein de la fonction publique.
Création des premiers cégeps et mise en service des centrales Manic 1 et 2.	Grèce : début du Régime des colonels.
Exposition universelle de Montréal. À l'occasion de sa visite, le président français Charles de Gaulle lance son fameux « Vive le Québec libre ! »	Moyen-Orient : nouveau conflit israélo-arabe, la guerre des Six Jours.
1968	**1968**
René Lévesque lance le livre *Option-Québec* en janvier et, en octobre, il fonde le Parti québécois à partir du Mouvement souveraineté-association et des forces indépendantistes regroupées au sein du Ralliement national et du RIN. Il en est le président.	Canada : le libéral Pierre E. Trudeau est élu premier ministre du Canada.
	États-Unis : assassinat de Martin Luther King, apôtre de la non-violence, et de Robert Kennedy, défenseur des minorités.
Plusieurs bombes explosent à Montréal, notamment au magasin Eaton et sur le parquet de la Bourse.	Le républicain Richard Nixon est élu président.

René Lévesque et le Québec	**Le Canada et le monde**
Mort de Daniel Johnson ; Jean-Jacques Bertrand lui succède.	Mai 68 : contestation étudiante mondiale.
Fondation de Radio-Québec et création de l'Université du Québec.	Tchécoslovaquie : l'intervention des troupes du pacte de Varsovie à Prague met fin à l'espoir des Tchèques de se libérer du joug soviétique.
1969	**1969**
Adhésion de l'économiste Jacques Parizeau au Parti québécois.	États-Unis : l'astronaute Neil Armstrong est le premier homme à marcher sur la Lune.
Malgré de nombreuses manifestations, le projet de loi 63 est adopté et accorde le choix de la langue d'enseignement aux parents.	Yasser Arafat devient président de l'Organisation de libération de la Palestine (OLP).
Création du ministère de la Fonction publique, de celui des Communications et de Loto-Québec.	
1970	**1970**
Adoption du régime universel d'assurance-maladie.	Canada : à la suite des enlèvements de James Richard Cross et de Pierre Laporte, le gouvernement fédéral décrète la Loi sur les mesures de guerre qui suspend certaines libertés civiles.
Victoire du Parti libéral dirigé par Robert Bourassa. Lévesque est défait dans Montréal-Laurier mais sept députés péquistes sont élus. Lévesque devient chroniqueur au *Journal de Montréal* et au *Journal de Québec*.	France : mort de Charles de Gaulle.
Crise d'Octobre : enlèvement du diplomate britannique James Richard Cross et du ministre du Travail Pierre Laporte, par le Front de libération du Québec (FLQ) ; mort de Pierre Laporte.	Chili : élection du président Salvador Allende.

René Lévesque et le Québec

1971
Création du ministère des Affaires sociales et mise sur pied des CLSC.

1972
Les employés du gouvernement en grève forment un front commun ; les chefs syndicaux qui défient le gouvernement Bourassa sont emprisonnés.

1973
La liste des membres du Parti québécois est volée à Montréal par la Gendarmerie royale du Canada. Aux élections, victoire du Parti libéral de Robert Bourassa ; le Parti québécois a fait élire six députés alors que René Lévesque est défait dans le comté de Dorion.

Dépôt du rapport de la commission Gendron sur la situation de la langue française et les droits linguistiques.

1974
Fondation du quotidien indépendantiste *Le Jour*.

La loi 22 proclame le français langue officielle du Québec.

Le Canada et le monde

1971
Canada : échec de la Conférence de Victoria. Le Québec refuse la formule de rapatriement et d'amendement de la Constitution telle qu'elle est proposée par le gouvernement fédéral.

1972
Canada : réélection du Parti libéral et de Pierre E. Trudeau.

Chine : première visite d'un président des États-Unis, Richard Nixon, en Chine communiste.

1973
États-Unis : la Maison-Blanche est compromise dans l'affaire Watergate.

Signature à Paris d'un cessez-le-feu entre le Viêtnam-du-Nord et les États-Unis.

Moyen-Orient : conflit israélo-arabe (guerre du Yom Kippour) qui entraîne une forte hausse du prix du pétrole.

Chili : coup d'État du général Pinochet qui renverse le gouvernement socialiste de Salvador Allende.

1974
Canada : réélection du Parti libéral.

États-Unis : le président Richard Nixon est contraint de démis-

René Lévesque et le Québec	Le Canada et le monde
La proposition d'un référendum, lancée par Claude Morin, père de l'étapisme, pour accéder à la souveraineté est adoptée au congrès du Parti québécois.	sionner. Le vice-président Gerald Ford lui succède.
Michèle Lalonde publie *Speak white* et Michel Brault réalise *Les ordres*.	Grèce : fin du Régime des colonels et restauration de la démocratie.
1975 Tenue des audiences publiques de la Commission d'enquête sur le crime organisé (CECO).	**1975** Espagne : mort de Franco ; Juan Carlos devient roi.
Accord avec les Cris et les Inuits au sujet des territoires de la baie James. On leur reconnaît des droits d'occupation sur une partie du territoire et on prévoit des compensations financières.	Viêtnam : l'armée du Sud capitule devant les communistes du Nord.
	Cambodge : prise du pouvoir par les Khmers rouges.
	Liban : la guerre civile commence entre musulmans et phalangistes.
1976 Affrontement entre l'Association des Gens de l'air, qui demande la francisation de l'espace aérien, et les contrôleurs aériens anglophones.	**1976** États-Unis : le démocrate Jimmy Carter est élu président.
Le 15 novembre, le Parti québécois est porté au pouvoir et René Lévesque devient premier ministre du Québec.	Viêtnam : réunification du pays.
Montréal : tenue des Jeux olympiques.	
1977 Lévesque est fait grand officier de la Légion d'honneur de France et il est récipiendaire de la médaille de la ville de Paris.	**1977** URSS : Leonid Brejnev est élu à la tête du présidium du Soviet suprême.

RENÉ LÉVESQUE ET LE QUÉBEC

Adoption du projet de loi 101, la Charte de la langue française.

Adoption d'une loi qui régit le financement des partis politiques.

1978
Levée de boucliers à l'annonce du déménagement à Toronto du siège social de la compagnie d'assurances Sun Life à cause de la Charte de la langue française.

1979
René Lévesque épouse Corinne Côté.

Décès de Diane Dionne, mère de René Lévesque.

La Cour suprême déclare inconstitutionnels certains articles de la Charte de la langue française.

Mise en service de la centrale LG-2 à la baie James.

Adoption de la Loi de la protection de la jeunesse et de la Loi de la santé et de la sécurité au travail.

1980
Référendum le 20 mai sur le projet de souveraineté-association du gouvernement péquiste. Le taux de participation est de 86 % et le « non » l'emporte avec 60 % des voix.

LE CANADA ET LE MONDE

1978
Italie : assassinat du leader de la Démocratie chrétienne, Aldo Moro, par le groupe terroriste les Brigades rouges.

Vatican : élection du pape Jean-Paul II.

1979
Canada : élection du conservateur Joe Clark.

États-Unis : signature des accords de Camp David entre l'Égypte et Israël.

Cambodge : fin de la dictature de Pol Pot.

Iran : renversement du shah et instauration d'une république islamique.

1980
Canada : élection de Pierre E. Trudeau et du Parti libéral.

États-Unis : le républicain Ronald Reagan, un ancien acteur, est élu président.

RENÉ LÉVESQUE ET LE QUÉBEC	LE CANADA ET LE MONDE
	Pologne : naissance du syndicat libre Solidarité ; Lech Walesa en est élu président l'année suivante.
1981 Réélection du Parti québécois et de René Lévesque à l'Assemblée nationale. Il obtient 80 sièges (49,2 % des voix) et le Parti libéral 42 sièges (46 %).	**1981** Canada : le gouvernement fédéral rapatrie la Constitution canadienne sans l'accord du Québec. France : élection à la présidence de François Mitterrand, premier secrétaire du Parti socialiste.
1982 Adoption du projet de loi 65 qui donne accès aux documents des organismes publics et protège les renseignements touchant la personne.	**1982** Canada : l'Acte de l'Amérique du Nord britannique rapatrié de Londres est signé par la reine et tient lieu de constitution canadienne. URSS : à la mort de Brejnev, Iouri Andropov est nommé premier secrétaire du Parti communiste.
1983 Robert Bourassa redevient chef du Parti libéral.	**1983** États-Unis : premier vol d'essai de la navette spatiale *Columbia*.
1984 À la suite d'une lettre à l'exécutif national de son parti dans laquelle Lévesque affirme que la souveraineté n'a pas à être l'enjeu de la prochaine élection, sept ministres quittent le cabinet.	**1984** Canada : John Turner succède à Pierre E. Trudeau à la direction du Parti libéral et au poste de premier ministre. Aux élections qui suivent en septembre, les conservateurs de Brian Mulroney ravissent le pouvoir aux libéraux.
1985 René Lévesque démissionne de son poste de premier ministre et de son poste de président du Parti	**1985** URSS : Mikhaïl Gorbatchev est élu secrétaire général du Parti communiste. Il rencontre le président

René Lévesque et le Québec

québécois. Pierre Marc Johnson lui succède.

Victoire du Parti libéral de Robert Bourassa avec 99 sièges (55 % des voix). Le Parti québécois remporte 23 sièges (38,6 %).

1986
René Lévesque publie ses mémoires, *Attendez que je me rappelle*.

1987
Chroniqueur à l'émission *Point de vue sur l'actualité* à la station de radio montréalaise CKAC depuis août, René Lévesque meurt le 1er novembre.

L'accord du lac Meech reconnaît notamment le Québec comme société distincte et on lui accorde un droit de *veto* sur les amendements constitutionnels.

1988
La Cour suprême du Canada déclare que le Québec ne peut interdire l'anglais comme langue d'affichage.

1989
Réélection du Parti libéral, dirigé par Robert Bourassa, avec 92 députés (49,9 % des voix). Le Parti québécois en a fait élire 29 (40,1 %).

Le Canada et le monde

des États-Unis, Ronald Reagan, afin d'accélérer le dialogue américano-soviétique.

1986
URSS : à Tchernobyl se produit le plus grave accident jamais survenu dans une centrale nucléaire.

1987
Canada : signature de l'accord du lac Meech, entente de principe entre les 10 premiers ministres des provinces et leur homologue fédéral sur les conditions posées par le Québec pour signer la loi constitutionnelle de 1982.

1988
Canada : signature d'un accord commercial de libre-échange avec les États-Unis.

France : réélection du président François Mitterrand.

1989
Allemagne : chute du mur de Berlin érigé en 1961.

Europe de l'Est : les pays délaissent massivement le régime communiste en faveur de la démo-

RENÉ LÉVESQUE ET LE QUÉBEC	LE CANADA ET LE MONDE
	cratie. Le mur de Berlin tombe le 9 novembre.
1990 La commission Bélanger-Campeau se penche sur l'avenir politique du Québec. Les événements de la crise d'Oka inaugurent le réveil autochtone. On doit faire appel à l'armée canadienne pour démolir les barricades qui bloquent la route d'Oka et le pont Mercier.	**1990** Canada : mort de l'accord du lac Meech lorsque le Manitoba et Terre-Neuve refusent de le ratifier, ce qui amène la fondation du Bloc québécois, un parti souverainiste sur la scène fédérale. Russie : élection de Boris Eltsine à la présidence. Réunification des deux Allemagnes.
1991 Le rapport Allaire recommande un important transfert des pouvoirs d'Ottawa à Québec, à la suite de l'échec du lac Meech.	**1991** Guerre du Golfe : après 40 jours de combat, reddition de l'Irak aux mains des alliés américains. Russie : Eltsine est élu premier ministre au suffrage universel.
1992 Robert Bourassa adhère à l'entente de Charlottetown.	**1992** Canada : référendum sur l'accord constitutionnel de Charlottetown qui est rejeté par la population de six provinces, dont celle du Québec.
1993 Daniel Johnson succède à Robert Bourassa à la tête du Parti libéral.	**1993** Canada : Kim Campbell, du Parti conservateur, est la première femme à occuper le poste de premier ministre. Aux élections, victoire du Parti libéral de Jean Chrétien.

René Lévesque et le Québec

1994
Le Parti québécois, avec Jacques Parizeau à sa tête, remporte les élections.

1995
Deuxième référendum sur le projet de souveraineté-association du gouvernement péquiste. Le « non » l'emporte avec 50,6 % des voix. Jacques Parizeau quitte la vie politique et Lucien Bouchard le remplace.

Le Canada et le monde

1994
Afrique du Sud : Nelson Mandela devient le premier président noir du pays.

1995
Canada : à la suite des résultats du référendum québécois, le gouvernement fédéral vote une motion sur la société distincte du Québec.

Éléments de bibliographie

Livres

BENJAMIN, Jacques, *Comment on fabrique un premier ministre québécois, de 1960 à nos jours*, Montréal, L'Aurore, 1975, 190 p.

BERGERON, Gérard, *Notre miroir à deux faces: Trudeau-Lévesque*, Montréal, Québec Amérique, 1985, 340 p.

DESBARATS, Peter, *René Lévesque ou le projet inachevé*, traduction de Robert Guy Scully, Montréal, Fides, 1977, 270 p.

DUCHESNE, Pierre, *Jacques Parizeau, (1970-1985), tome II, Le Baron*, Montréal, Québec Amérique, 2002, 544 p.

DUPONT, Pierre, *15 novembre 1976...*, Montréal, Quinze, 1976, 205 p.

GODIN, Pierre, *René Lévesque, Un enfant du siècle (1922-1960)*, Montréal, Boréal, 1994, 480 p.

———, *René Lévesque, Héros malgré lui (1960-1976)*, Montréal, Boréal, 1997, 736 p.

———, *René Lévesque, L'espoir et le chagrin (1976-1980)*, Montréal, Boréal, 2001, 632 p.

LÉVESQUE, René, *Attendez que je me rappelle*, Montréal, Québec Amérique, 1986, 525 p.

———, *Chroniques de René Lévesque*, Montréal, Québec Amérique, 1987, 458 p.

———, *Option Québec*, précédé d'un essai d'André Bernard, Montréal, Typo, 1997, 352 p.

MONIÈRE, Denis, *Le développement des idéologies au Québec*, Montréal, Québec Amérique, 1977, 381 p.

MORIN, Claude, *Lendemains piégés, Du référendum à la nuit des longs couteaux*, Montréal, Boréal, 1988, 395 p.

———, *Mes premiers ministres : Lesage, Johnson, Bertrand, Bourassa et Lévesque*, Montréal, Boréal, 1991, 640 p.

PAYETTE, Lise, *Le pouvoir ? Connais pas !*, Montréal, Québec Amérique, 1982, 212 p.

PELLETIER, Gérard, *Le temps des choix, 1960-1968*, Montréal, Stanké, 1986, 384 p.

PROVENCHER, Jean, *René Lévesque. Portrait d'un Québécois*, Montréal, La Presse, 1973, 270 p.

VASTEL, Michel, *Landry, le grand dérangeant*, Montréal, Éditions de l'Homme, 2001, 444 p.

Sites Internet

http://www.vigile.net/ds-histoire/index/levesque.html

http://www.assnat.qc.ca/fra/membres/notices/j-l/lever.htm

http://www.agora.qc.ca/mot.nsf/Dossiers/Rene_Levesque

http://www.partiquebecois.org.zones/www/index.php?pg=19

Disque

BOUCHARD, Jacques, *Point de mire sur René Lévesque*, Montréal, Radio-Canada/GSI Musique, coffret de 11 disques (13 heures) et livret de 32 p.

Films

CYR, Luc et Carl LEBLANC, *Canada by night*, Montréal, Ad Hoc films, coll. « 24 heures pour l'histoire », 1999, 53 minutes.

LABRECQUE, Jean-Claude, *Le RIN — Rassemblement pour l'indépendance nationale*, Montréal, Productions Virage et Télé-Québec, 2002, 78 minutes.